¡Ya verás! GOLD

¡Empecemos!

1A

John R. Gutiérrez
The Pennsylvania State University

Harry L. Rosser
Boston College

Marta Rosso-O'Laughlin
Tufts University

HH Heinle & Heinle Publishers
Boston, MA • 02116 • U.S.A.
I T P® *an International Thomson Publishing company*

Boston • Albany • Bonn • Cincinnati • Detroit • London
Madrid • Melbourne • Mexico City • New York • Paris
San Francisco • Singapore • Tokyo • Toronto • Washington

Visit us on the Internet
http://www.yaveras.heinle.com

The publication of *¡Empecemos! 1A*, was directed by the members of the Heinle & Heinle School Publishing Team.

VP AND PUBLISHER: Vince Duggan
EDITORIAL DIRECTOR: Pam Warren
DEVELOPMENTAL EDITOR: Sonny Regelman
ASSISTANT EDITOR: Andrew Littell
MARKET DEVELOPMENT DIRECTOR: Edward Lamprich
ASSOCIATE MARKETING DIRECTOR: Sarah Wojdak
DIRECTOR FL TRAINING & DEVELOPMENT: Karen Ralston
PROJECT EDITOR: Doreen Mercier
PRINT BUYER: Judy Caldwell
DEVELOPMENT: Course Crafters, Inc.
DESIGN AND COMPOSITION: Nesbitt Graphics, Inc.
TEXT PRINTER/BINDER: R. R. Donnelley & Sons Company, Inc.

Heinle & Heinle Publishers
20 Park Plaza
Boston, MA 02116

International Thomson Editores
Seneca, 53
Colonia Polanco
11560 México D.F. México

International Thomson Publishing Europe
Berkshire House
168-173 High Holborn
London, WCIV 7AA, United Kingdom

International Thomson Publishing Asia
60 Albert Street #15-01
Albert Complex
Singapore 189969

Nelson ITP, Australia
102 Dodds Street
South Melbourne
Victoria 3205 Australia

International Thomson Publishing Japan
Hirakawa-cho Kyowa Building, 3F
2-2-1 Hirakawa-cho, Chiyoda-ku
Tokyo 102, Japan

Nelson Canada
1120 Birchmount Road
Scarborough, Ontario
Canada MIK SG4

International Thomson Publishing
    Southern Africa
Building 18, Constantia Square
138 Sixteenth Road, P.O. Box 2459
Halfway House, 1685 South Africa

Printed in the United States of America.
10 9 8 7 6 5 4 3 2 1

¡Empecemos! 1A ISBN 0-8384-0185-6

To the Student

Y ou are about to begin an exciting and valuable experience. Learning a new language will open up cultures other than your own: different ways of living, thinking, and seeing.

Today the Spanish language is spoken all over the world by more than 300 million people. Many of you will one day have the opportunity to visit a Spanish-speaking country. Your experience will be all the richer if you can enter into the cultures of those countries and interact with their people. However, even if you don't get to spend time in one of those countries, Spanish is very much alive right here in this country, for it is spoken every day by millions of Americans!

Do you already know some Spanish speakers in your community or have you ever been exposed to elements of Hispanic culture? Perhaps you have sampled some Mexican food or turned on the television to find a Spanish news broadcast. Perhaps you have listened to the music of Gloria Estefan or Ruben Blades or maybe seen a movie in Spanish with English subtitles. The possibilities are endless.

Once you begin to use the Spanish language in class, you will discover that you can interact with Spanish speakers or your classmates and teacher right away. Knowing that of over 80,000 words found in the Spanish language, the average Spanish speaker uses only about 800 on a daily basis might help to persuade you of this! Therefore, as you work with *¡Empecemos!* keep in mind that the most important task you have ahead of you is to use what you learn for communicating as effectively and creatively as you can.

Communicating in a foreign language means understanding what others say and transmitting your messages in ways that avoid misunderstandings. As you learn to do this, you will find that making errors is part of language learning. Think of mistakes as positive steps toward effective communication. They don't hold you back; they advance you in your efforts.

Learning a language takes practice, but it's an enriching experience that can bring you a lot of pleasure and satisfaction. We hope your experience with *¡Empecemos!* is both rewarding and enjoyable!

Acknowledgments

The publisher and authors wish to thank the following teachers who pilot-tested the *¡Ya verás!, Second Edition,* program. Their use of the program in their classes provided us with invaluable suggestions and contributed important insights to the creation of *¡Empecemos!*

Nola Baysore
Muncy JHS
Muncy, PA

Barbara Connell
Cape Elizabeth Middle
   School
Cape Elizabeth, ME

Frank Droney
Susan Digiandomenico
Wellesley Middle
   School
Wellesley, MA

Michael Dock
Shikellamy HS
Sunbury, PA

Jane Flood Clare
Somers HS
Lincolndale, NY

Nancy McMahon
Somers Middle School
Lincolndale, NY

Rebecca Gurnish
Ellet HS
Akron, OH

Peter Haggerty
Wellesley HS
Wellesley, MA

José M. Díaz
Hunter College HS
New York, NY

Claude Hawkins
Flora Mazzucco
Jerie Milici
Elena Fienga
Bohdan Kodiak
Greenwich HS
Greenwich, CT

Wally Lishkoff
Tomás Travieso
Carver Middle School
Miami, FL

Manuel M. Manderine
Canton McKinley HS
Canton, OH

Grace Angel Marion
South JHS
Lawrence, KS

Jean Barrett
St. Ignatius HS
Cleveland, OH

Gary Osman
McFarland HS
McFarland, WI

Deborah Decker
Honeoye Falls-Lima HS
Honeoye Falls, NY

Carrie Piepho
Arden JHS
Sacramento, CA

Rhonda Barley
Marshall JHS
Marshall, VA

Germana Shirmer
W. Springfield HS
Springfield, VA

John Boehner
Gibson City HS
Gibson City, IL

Margaret J. Hutchison
John H. Linton JHS
Penn Hills, PA

Edward G. Stafford
St. Andrew's-
Sewanee School
St. Andrew's, TN

Irene Prendergast
Wayzata East JHS
Plymouth, MN

Tony DeLuca
Cranston West HS
Cranston, RI

Joe Wild-Crea
Wayzata Senior
High School
Plymouth, MN

Katy Armagost
Manhattan HS
Manhattan, KS

William Lanza
Osbourn Park HS
Manassas, VA

Linda Kelley
Hopkinton HS
Contoocook, NH

John LeCuyer
Belleville HS West
Belleville, IL

Sue Bell
South Boston HS
Boston, MA

Wayne Murri
Mountain Crest HS
Hyrum, UT

Barbara Flynn
Summerfield
Waldorf School
Santa Rosa, CA

The publisher and authors wish to thank the following people for their invaluable contributions to the development of *¡Empecemos!*:

Contributing Writers/Consultants

Jo Anne Wilson
J. Wilson Associates
Glen Arbor, MI

Mary Atkinson
World Languages Consultant
Reading, MA

Reviewers

Sarah Aldana
Einstein Middle School
Appleton, WI

Debra S. Martín
Charles D. Owen Middle School
Swannanoa, NC

Maritza Alfandari
Bayonette Point Middle School
New Port Richey, FL

Maria Taravella
Nova Middle School
Ft. Lauderdale, FL

Joni Demera
Charlotte-Mecklenburg Schools
Charlotte, NC

Carol Thorpe
Charlotte-Mecklenburg Schools
Charlotte, NC

Ondina Gonzales
Broward County School District
Ft. Lauderdale, FL

Linda Weber
Einstein Middle School
Appleton, WI

Adela I. Henry
Ranson Middle School
Charlotte, NC

Sandy Whyms
Madison Middle School
Appleton, WI

The publisher and authors also wish to thank the following people who reviewed the manuscript for the *¡Ya verás!, Second Edition,* program. Their comments were invaluable to its development and of great assistance in the creation of *¡Empecemos!*

Georgio Arias, Juan De León, Luís Martínez (McAllen ISD, McAllen, TX); **Katy Armagost** (Mt. Vernon High School, Mt. Vernon, WA); **Yolanda Bejar, Graciela Delgado, Bárbara V. Méndez, Mary Alice Mora** (El Paso ISD, El Paso, TX); **Linda Bigler** (Thomas Jefferson High School, Alexandria, VA); **John Boehner** (Gibson City High School, Gibson City, IL); **Kathleen Carroll** (Edinburgh ISD, Edinburgh, TX); **Louanne Grimes** (Richardson ISD, Richardson, TX); **Greg Harris** (Clay High School, South Bend, IN); **Diane Henderson** (Houston ISD, Houston, TX); **Maydell Jenks** (Katy ISD, Katy, TX); **Bartley Kirst** (Ironwood High School, Glendale, AZ); **Mala Levine** (St. Margaret's Episcopal School, San Juan Capistrano, CA); **Larry Ling** (Hunter College High School, New York, NY); **Susan Malik** (West Springfield High School, Springfield, VA); **Manuel Manderine** (Canton McKinley Sr. High School, Canton, OH); **Laura Martin** (Cleveland State University, Cleveland, OH); **Luis Millán** (Edina High School, Minneapolis, MN); **David Moffett, Karen Petmeckey, Pat Rossett, Nereida Zimic** (Austin ISD, Austin, TX); **Jeff Morgenstein** (Hudson High School, Hudson, FL); **Yvette Parks** (Norwood Junior High School, Norwood, MA); **Rosana Pérez, Jody Spoor** (Northside ISD, San Antonio, TX); **Susan Polansky** (Carnegie Mellon University, Pittsburgh, PA); **Alva Salinas** (San Antonio ISD, San Antonio, TX); **Patsy Shafchuk** (Hudson High School, Hudson, FL); **Terry A. Shafer** (Worthington Kilbourne High School, West Worthington, OH); **Courtenay Suárez** (Montwood High School, Socorro ISD, El Paso, TX); **Alvino Téllez, Jr.** (Edgewood ISD, San Antonio, TX); **Kristen Warner** (Piper High School, Sunrise, FL); **Nancy Wrobel** (Champlin Park High School, Champlin, MN)

CONTENIDO

¡Bienvenidos al mundo hispánico!

Did you know that Spanish is spoken by more than 360 million people around the world and that it is the third most widely spoken language after Chinese and English? In fact, the Spanish language, which originated in a tiny corner of Castile, Spain, is the principal language of 20 countries. After English, it is also the most commonly spoken language in the United States, boasting more than 22 million speakers! These simple facts, however, only hint at the vibrant diversity of the Spanish language and the rich tapestry of Hispanic cultures.

Like many languages, Spanish has been shaped by geography. The Spanish spoken by the Chileans living in the shadows of the snow-capped Andes has evolved differently from that of the Argentines herding cattle on the vast grass-filled plains known as the Pampas. Even within a country as small as the Dominican Republic, the way Spanish sounds in the capital city of Santo Domingo differs from the way it is spoken in rural areas.

In many places, Spanish was also shaped by the cultures and languages of the indigenous peoples who lived there long before the arrival of Spanish-speakers—for example, the Maya of Mexico's Yucatán peninsula and Guatemala, and the Guaranis of Paraguay. Just as the United States is a "melting pot" of many cultures, the Spanish-speaking world represents a dynamic linguistic and cultural mosaic. **¡Bienvenidos al mundo hispánico!** You are about to embark on a fascinating journey!

Te toca a ti

Examine the maps in your textbook to find the following information.

1. The twenty Spanish-speaking countries
2. The name of the river that separates Mexico from the United States
3. The only country in Central America that is not considered a Spanish-speaking country
4. The number and names of the countries in South America where Spanish is not the principal language
5. The Spanish-speaking island in the Caribbean that is part of the United States
6. A Spanish-speaking country in Africa

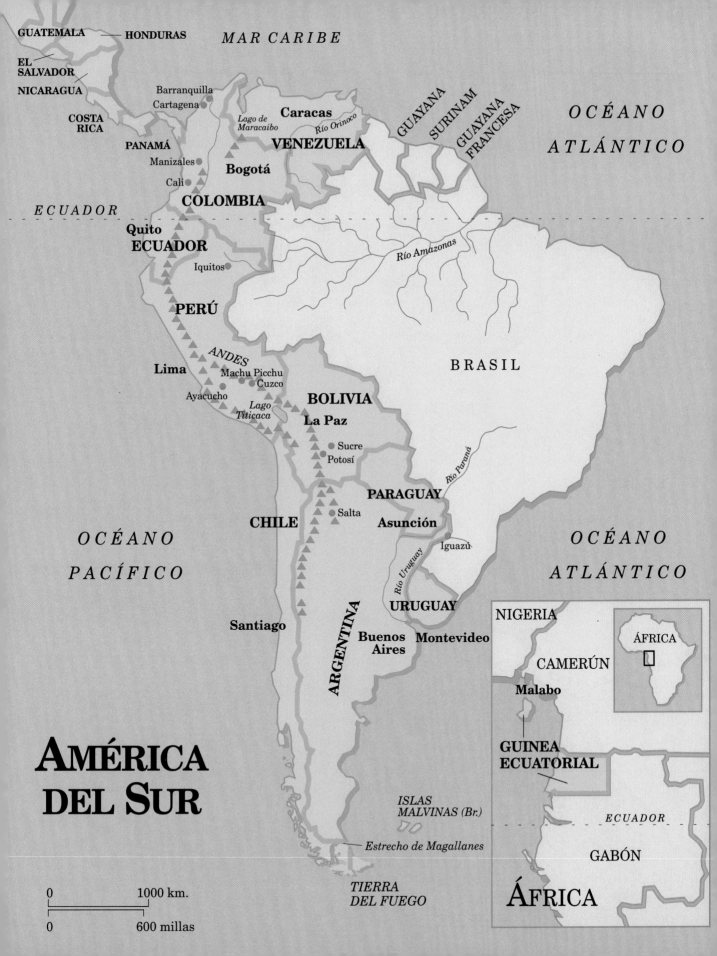

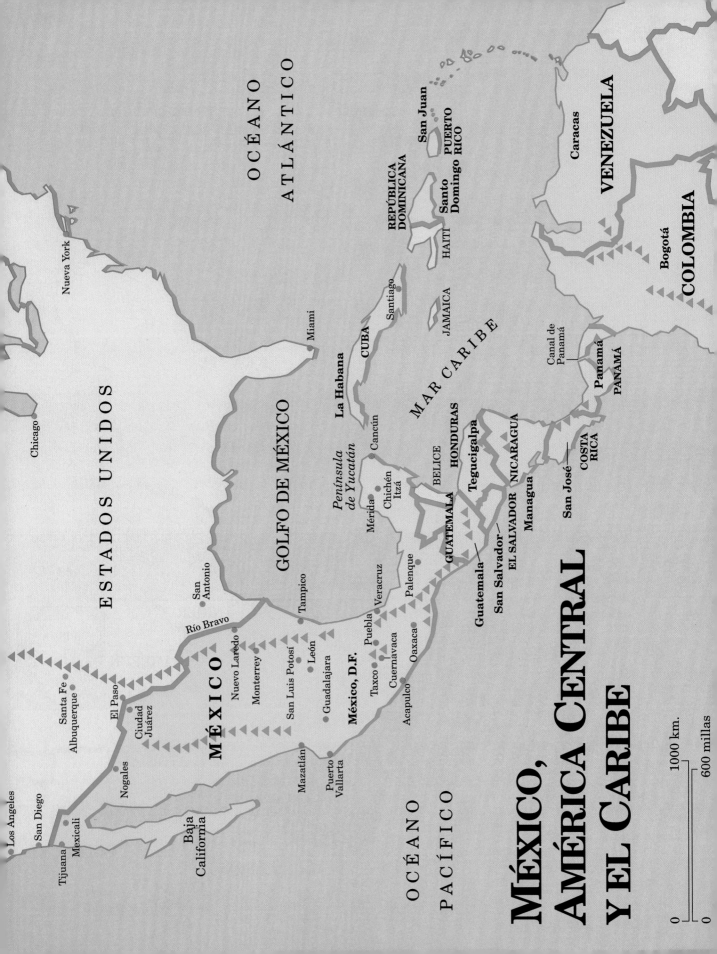

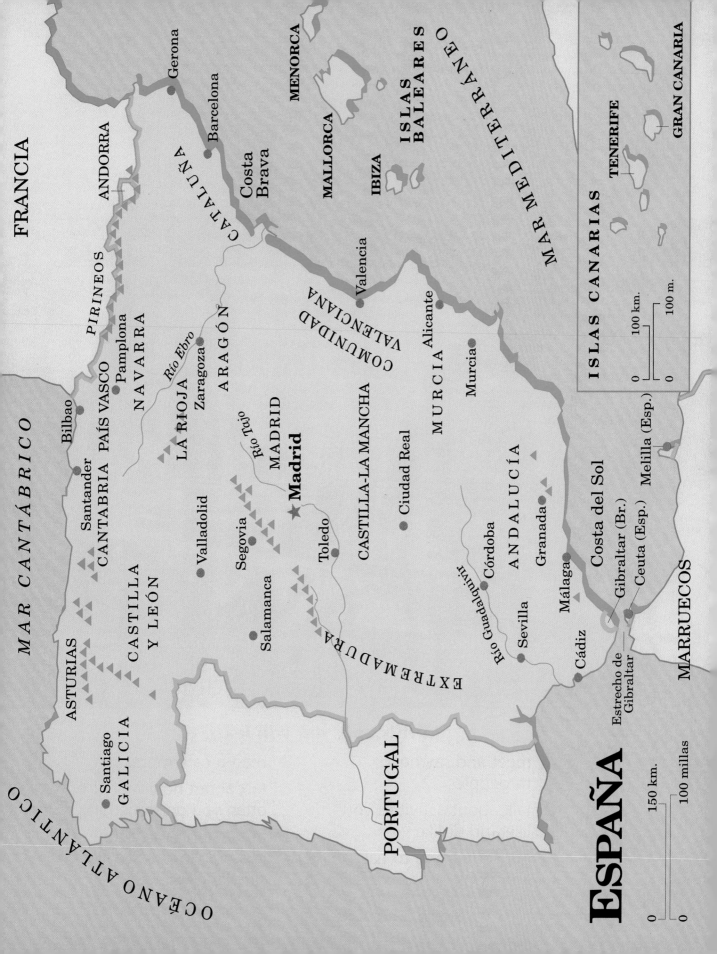

UNIDAD

Vamos a tomar algo

1

Objectives

In this unit you will learn to:

- ❈ meet and say hello to people
- ❈ talk about activities you like and dislike
- ❈ get something to eat and drink

- ❈ read a café menu
- ❈ talk about how well or how often you do something
- ❈ understand meal-time customs in the Spanish-speaking world

¿Qué ves?

- ✪ What kind of food do you think you would order in each of the places pictured?
- ✪ What kinds of drinks are the people in the picture having?
- ✪ Where do you like to go for something to eat or drink?

1

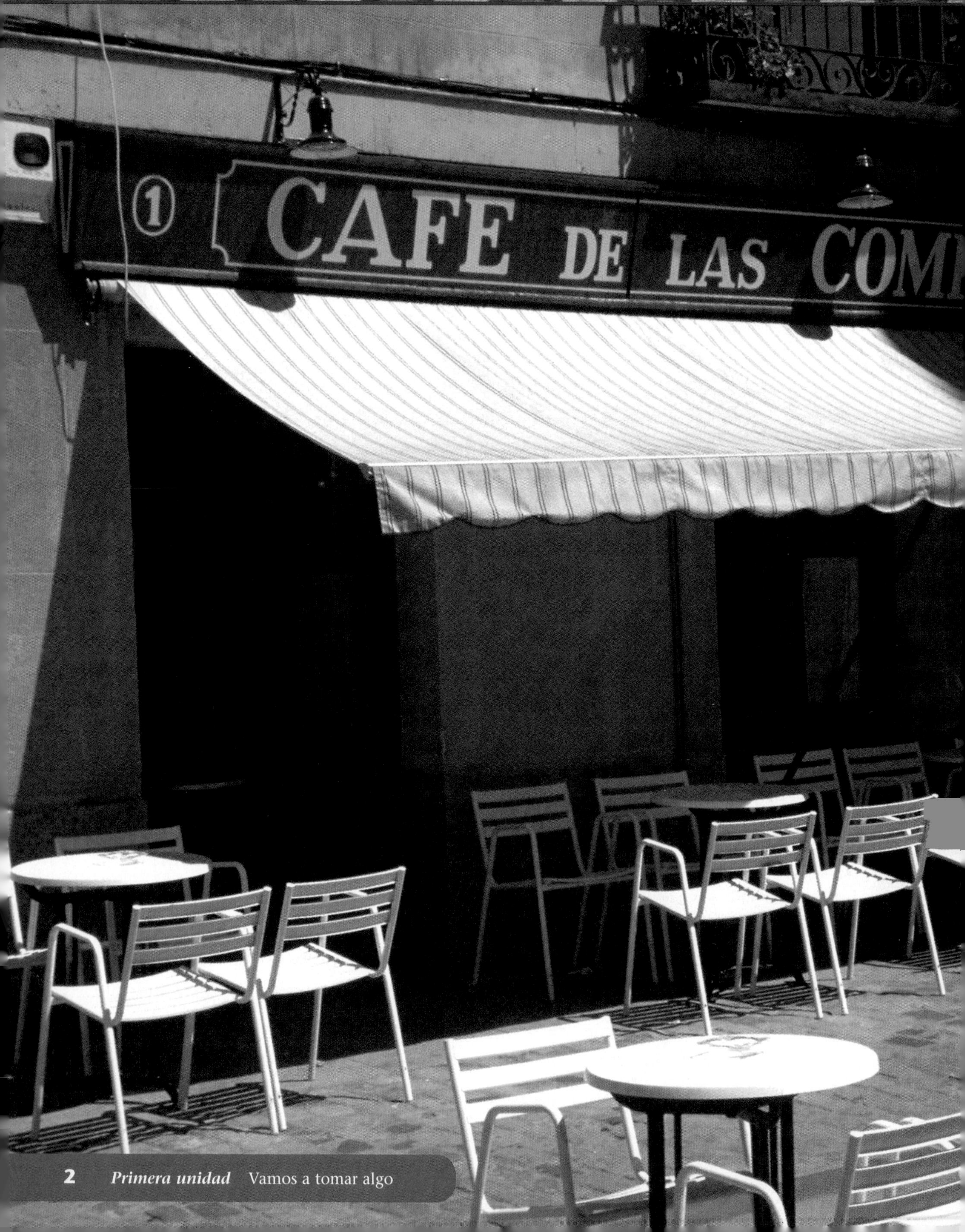
1
CAFE DE LAS COM

¡Vamos a comer algo!

1

Vamos al café

1. Are there any restaurants in your town?
2. What would you order to eat there?
3. What would you order to drink?

In this chapter you will learn to:

- order food and drink
- greet, introduce, and say goodbye to friends
- talk about what you like and dislike
- ask and answer yes/no questions

1. Look at the pictures. What might these students be saying to each other?

2. Make a list of things you say to people in English...
   a) as you meet on the street
   b) when you introduce two friends to each other
   c) when you are about to leave

3. What do you do in each of the above situations: Do you hug? Kiss? Shake hands?

¡Hola! ¿Qué tal?

Alba: **Buenos días,** Teresa.

Teresa: Buenos días, Alba. **¿Cómo estás?**

Alba: **Muy bien, gracias. ¿Y tú?**

Teresa: **Más o menos.**

Laura: **¡Hola,** Anita! **¿Qué tal?**

Anita: Muy bien, Laura. ¿Y tú?

Laura: **Bien,** gracias. Anita, **te presento a** Juan. Juan, Anita.

Anita: ¡Hola!

Juan: **Mucho gusto.**

Buenos días *Good morning* **¿Cómo estás?** *How are you?* **Muy bien, gracias.** *Very well, thank you.* **¿Y tú?** *And you?* **Más o menos.** *So-so.* **¡Hola!** *Hello* **¿Qué tal?** *How are you? How is it going?* **Bien** *Well, fine* **te presento a...** *let me introduce you to...* **Mucho gusto.** *Nice to meet you.*

¡Hola!

¿Cómo estás?

¿Qué tal?

Hasta luego.

Saludos (Greetings)

Buenos días.

Buenas tardes. *Good afternoon.*

Buenas noches. *Good evening. Good night.*

¡Hola!

¿Cómo estás?

¿Cómo te va? *How's it going?*

¿Qué hay? *What's new?*

¿Qué pasa? *What's going on?*

¿Qué tal?

Respuestas (Replies)

(Muy) Bien, gracias. ¿Y tú?

Más o menos. ¿Y tú?

Regular. *OK.*

Bastante bien. *Pretty good.*

Despedidas (Goodbyes)

Adiós. *Goodbye.*

Hasta luego. *See you later.*

Nos vemos. *See you.*

¡Chao! *Bye!*

¡Te toca a ti!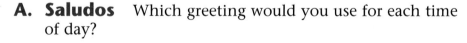

A. Saludos Which greeting would you use for each time of day?

> **MODELO** Buenos días.

1.

2.

3.

B. Saludos y respuestas Respond to these greetings.

1. ¡Hola!
2. Buenos días.
3. ¿Cómo estás?
4. ¿Qué tal?
5. Buenas tardes.
6. ¿Cómo te va?
7. Buenas noches.

C. ¡Hola! ¿Qué tal? Work in groups of three to act out the following conversation.

1. One of you is talking to a new student at school. A friend approaches, and you all greet each other.
2. You introduce your friend to the new student.
3. You all say goodbye.

> **MODELO**
>
> **Estudiante 1:** *¡Hola! ¿Qué tal?*
> **Estudiante 2:** *Bien, gracias, ¿y tú?*
> **Estudiante 1:** *Bien, gracias. Te presento a Marilú.*
> **Estudiante 3:** *¡Hola!*
> **Estudiante 2:** *Mucho gusto.*
> **Estudiante 1:** *Hasta luego.*
> **Estudiante 2:** *Nos vemos.*
> **Estudiante 3:** *Adiós.*

Comentarios CULTURALES

Saludos y despedidas

What do you do when you say hello or goodbye to someone? Do you hug? Shake hands? In Hispanic cultures, the gestures are often different from what we are used to, and it is important to understand what is expected! Two Spanish-speaking men will either shake hands formally or even give each other an **abrazo**, a brief hug and a pat on the back. Women will usually kiss each other on both cheeks in Spain and on only one cheek in Latin America. A young man and a young woman who know each other will generally kiss on one or both cheeks. Older people will shake hands if they don't know each other well, or kiss on the cheek if they do.

PRONUNCIACIÓN *The Spanish Alphabet*

A good place to start your study of Spanish pronunciation is with the alphabet. Listed below are the letters of the Spanish alphabet, along with their names.

a	a	**j**	jota	**r**	ere
b	be	**k**	ka	**rr**	erre
c	ce	**l**	ele	**s**	ese
ch	che	**ll**	elle	**t**	te
d	de	**m**	eme	**u**	u
e	e	**n**	ene	**v**	ve
f	efe	**ñ**	eñe	**w**	doble ve
g	ge	**o**	o	**x**	equis
h	hache	**p**	pe	**y**	i griega
i	i	**q**	cu	**z**	zeta

Práctica

D. Spell the following words aloud, using the Spanish alphabet.

1. pan
2. refresco
3. mantequilla
4. leche
5. aceitunas
6. bocadillo
7. naranja
8. limón
9. mermelada
10. calamares
11. sándwich
12. desayuno
13. jamón
14. pastel
15. tortilla

¡A jugar con los sonidos!

A de ¡Adiós!   C de ¡Chao!   E de ¡España! ¡Olé!

B de ¡Buenos días!   D de ¡De nada!

ESTRUCTURA

Expressing likes and dislikes

- To ask what a friend likes and doesn't like to do, use **¿te gusta?**

- To talk about what you like and don't like to do, use **me gusta** and **no me gusta.**

¿Te gusta bailar?	*Do you like to dance?*
Sí, **me gusta** bailar.	*Yes, I like to dance.*
¿Te gusta cantar?	*Do you like to sing?*
No **me gusta cantar; me gusta escuchar** música.	*I don't like to sing; I like to listen to music.*
¿Te gusta hablar español?	*Do you like to speak Spanish?*
Sí, **pero no me gusta estudiar y practicar.**	*Yes, but I don't like to study and to practice.*

Aquí practicamos

E. ¿Te gusta ... ? Answer the following questions. Use as many variations as you can from the examples above.

> **MODELO** ¿Te gusta estudiar?
> *Sí, me gusta estudiar. (No, no me gusta estudiar.)*

1. ¿Te gusta bailar?
2. ¿Te gusta hablar español en clase?
3. ¿Te gusta cantar ópera?
4. ¿Te gusta practicar el español?
5. ¿Te gusta estudiar matemáticas?, ¿historia?
6. ¿Te gusta escuchar música rock?, ¿clásica?

PALABRAS ÚTILES

Talking about how much you like to do something

Here are words you can use to express how much you like to do something.

mucho	*a lot*
muchísimo	*very much*
un poco	*a little*
Me gusta mucho bailar.	*I like dancing a lot.*

Aquí practicamos

F. ¿Cuánto te gusta? Say how much you like these activities.

> **MODELO**   cantar
> *Me gusta mucho cantar.*

1. bailar
2. hablar en clase
3. hablar español
4. escuchar música rock

5. escuchar música clásica
6. estudiar
7. cantar

G. Me gusta...

Paso 1. How much do you like to do each of these activities? Copy the following chart and check the box according to how much you like the activity.

Paso 2. Work with a partner to tell him(her) how much or little you like the activities.

	mucho	muchísimo	no	un poco
1. hablar	_____	_____	_____	_____
2. hablar español	_____	_____	_____	_____
3. estudiar	_____	_____	_____	_____
4. estudiar matemáticas	_____	_____	_____	_____
5. bailar	_____	_____	_____	_____
6. bailar en clase	_____	_____	_____	_____
7. escuchar música	_____	_____	_____	_____

Aquí escuchamos

¡Hola y adiós!   Some friends run into each other on the street.

    Antes de escuchar   Two friends run into each other on the street. Think about some of the common expressions, questions, and responses you have learned in Spanish when meeting friends or acquaintances.

     A escuchar   Listen twice to the conversations between the friends.

    Después de escuchar   Answer the questions based on what you heard. You may want to listen to the conversations again.

Conversación 1

1. What are the names of the two people in the conversation?
2. What does the boy respond when asked how he is?
3. How do you know the two people already know each other?
4. What expression do they both use when they say good-bye?

Conversación 2

1. In general, what time of day is it when these people meet?
2. What country is one of the speakers from?
3. At the end, who mentions someone's family?

¡ADELANTE!

A. ¡Mucho gusto! Work with two classmates. You all are sitting in the cafeteria when another friend arrives with a new transfer or exchange student.

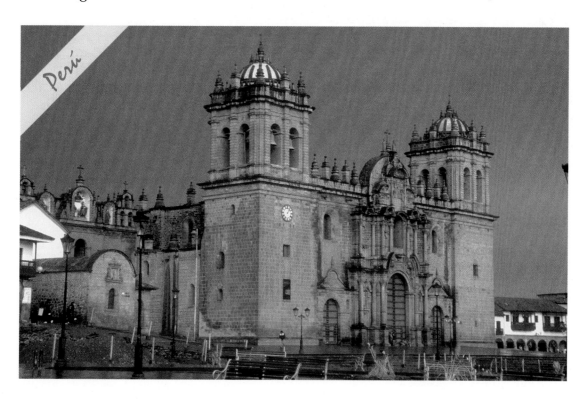

1. Greet the new student.
2. Introduce him or her to your classmates.
3. They then ask each other about two or three things they like or don't like to do. **(¿Te gusta estudiar matemáticas?)**
4. Finally, everybody says goodbye.

B. Una postal Write a postcard to a new pen pal.

1. Greet your friend and ask how he or she is.
2. List three things you like to do.
3. Ask a question or two about your friend's likes or dislikes.
4. Sign off.

Perú

1. What drinks do you order at a restaurant?
2. What do you usually drink at breakfast time? At lunch? In the evening? Make a list.

¡Un refresco, por favor!

Two girls at a cafe want to have a soft drink.

María: Psst, **camarero.**

Camarero: Sí, **señorita, ¿qué desea tomar?**

María: **Una limonada,** por favor.

Camarero: Y usted, señorita, ¿qué desea?

Yolanda: **Yo quisiera un licuado** de banana, por favor.

A few seconds later...

Camarero: **Aquí tienen ustedes.** Una limonada y un licuado de banana.

María: **Muchas gracias, señor.**

Camarero: **De nada.**

refresco *soft drink* **camarero** *waiter* **¿qué desea tomar?** *what would you like?* **Una limonada** *A lemonade* **Yo quisiera** *I would like* **un licuado** *a blended fruit drink* **Aquí tienen ustedes** *Here you are* **Muchas gracias** *Thank you very much* **señor** *sir* **De nada** *You're welcome*

Unas bebidas calientes *(Hot beverages)*

un café | un café con leche | un chocolate | un té | un té con leche | un té con limón

Unas bebidas frías *(Cold beverages)*

una botella de agua mineral, un vaso de agua con limón | una granadina con agua mineral | un jugo de naranja | un licuado de banana | una limonada | un refresco

¡Te toca a ti!

A. En el café   Work with a partner. Pretend one of you is a server in a café. The other is a customer. The customer responds to the server's requests.

MODELO   un café con leche / ¿?

Estudiante 1:   *¿Qué desea, señorita (señor)?*

Estudiante 2:   *Un café con leche, por favor. (Un refresco, por favor.)*

1. un refresco / ¿?
2. un té con limón / ¿?
3. una botella de agua / ¿?
4. un chocolate / ¿?
5. un licuado de banana / ¿?
6. una granadina con agua mineral / ¿?
7. una limonada / ¿?
8. un café / ¿?

B. **¡Qué mala memoria!**   Work in groups of three. One of you is the server and the two others are students at a café. Each student orders a drink, but the server is confused. He or she gets the orders mixed up! The students remind the server of what they wanted.

> **MODELO**
>
> **Estudiante 1:** *¿Qué desean tomar?*
>
> **Estudiante 2:** *Una granadina con agua mineral, por favor.*
>
> **Estudiante 1:** *¿Y Ud., señor (señorita)?*
>
> **Estudiante 3:** *Yo quisiera un refresco, por favor.*
>
> **Estudiante 1:** *Aquí tienen. Un refresco para Ud....*
>
> **Estudiante 2:** *No, señor (señorita), una granadina.*
>
> **Estudiante 1:** *¡Ah, perdón! Una granadina para Ud., y un refresco para Ud.*
>
> **Estudiante 3:** *Sí, gracias.*
>
> **Estudiante 1:** *De nada.*

PRONUNCIACIÓN   *a*

Práctica

C. Listen and repeat as your teacher models the following words.

1. hola	6. canta
2. va	7. habla
3. pan	8. hasta
4. patatas	9. calamares
5. tapas	10. cacahuetes

¡A jugar con los sonidos!
Las amigas Andrea y Ángela son artistas. Andrea canta y Ángela pinta.

D. Hola, te presento a... The Spanish Club has organized a meeting so that new members can get to know each other. Work with a partner and circulate about the class to introduce yourselves to three "members."

ESTRUCTURA

Identifying people and things

Gender of nouns and the indefinite articles

	singular	plural
masculine	**un refresco** a soft drink	**unos refrescos** some soft drinks
feminine	**una botella** a bottle	**unas botellas** some bottles

indefinite article

Una limonada

noun

1. Nouns are words that name people, places, and things. In Spanish, nouns are divided into two genders: masculine or feminine.

Masculine nouns

- usually end in **o** (un jugo)
- refer to men and boys (un señor)

Feminine nouns

- usually end in **a** (una limonada)
- refer to women and girls (una señorita)

Some nouns like **chocolate** or **café** don't end in **o** or **a**, or refer to people. You'll need to learn the noun's gender as you learn its meaning.

2. To express *a* or *an* in Spanish (indefinite articles) use **un** or **una.** Masculine singular nouns use **un**; feminine nouns use **una**; masculine plural nouns use **unos** *(some)*; and feminine plural nouns use **unas** *(some)*.

Aquí practicamos

E. ¿Un o unos? ¿Una o unas?   Order the following items in a café, using **un, una, unos, unas.**

> **MODELO**   botella de agua mineral
> *¡Camarero! Una botella de agua mineral, por favor.*

1. jugo de naranja
2. botellas de agua mineral
3. té

4. vaso de agua
5. refrescos
6. café con leche

F. Yo quisiera... ¿Y tú?   You and your partner are at a café. Ask each other what you want to order. Choose from the beverages listed (or name something else).

> **MODELO**   té / café con leche / ¿?

Estudiante 1:   *Yo quisiera un té, ¿y tú?*

Estudiante 2:   *Un café con leche. (Una limonada.)*

1. chocolate / refresco / ¿?
2. té / limonada / ¿?
3. vaso de agua mineral / jugo / ¿?
4. granadina con agua mineral / refresco / ¿?
5. licuado de banana / chocolate / ¿?
6. té con leche / té con limón / ¿?

Los cafés

Throughout the Spanish-speaking world, people love to meet in cafés for a drink and a snack, or just to laugh and talk. Others like to sit in a quiet café where they can listen to music, read the newspaper, or play games such as dominoes. In the summertime, tables are often set outside so you can enjoy the sunshine as you watch people go by!

Aquí escuchamos

En un café   Clara and her friends are having something to drink at a café.

> **Antes de escuchar**   Answer the following questions before you listen to the conversation.
>
> 1. What are some beverages Clara and her friends might order?
> 2. What do you say to order something in Spanish?

> **A escuchar**   Listen to the conversation that Clara and her friends have with the waiter at the café. Pay special attention to what each person orders.

> **Después de escuchar**   On your activity master, check the items Clara and her friends ordered.

1. __ **agua mineral**   5. __ **limonada**
2. __ **licuado**   6. __ **leche**
3. __ **té**   7. __ **refresco**
4. __ **café**

¡ADELANTE!

A. En un café

1. Work in groups of four. Draw and label each of the drinks introduced on page 13.
2. Exchange "menus."
3. Take turns being the server and customers in a café. Place orders from your menus.

MODELO

Estudiante 1: *¿Qué desean tomar?*

Estudiante 2: *Yo quisiera una limonada.*

Estudiante 3: *Un café, por favor.*

Estudiante 4: *Psst, camarera.*

Estudiante 1: *Sí, señorita, ¿qué desea?*

Estudiante 4: *Una limonada, un café y un té con limón, por favor.*

Estudiante 1: *Muy bien.*

B. A mí me gusta...   Work with a classmate.

1. Each of you makes a list of six beverages ranked in the order of your preference.

2. Exchange and compare lists.

3. Identify three beverages that both of you like, adding to your original lists if necessary.

TERCERA ETAPA

1. Make a list of things you can order for breakfast in a restaurant.
2. What is your favorite breakfast food?
3. What do you usually eat for lunch?
4. What do you have for a snack?

¡Vamos a comer algo!

un bocadillo

un croissant[1]

un pan dulce

un pastel de fresas

una rebanada de pan

mermelada
mantequilla
un pan tostado
un desayuno

un sándwich de jamón y queso

*Two friends (**amigas**), Ana and Clara, are at a café.*

Ana: Quisiera **tomar** un café. ¿Y tú?

Clara: Yo quisiera **comer algo.**

Ana: En **este** café **tienen** bocadillos, sándwiches y pasteles.

Clara: Pues, voy a comer un pastel, mmm... **con** un café con leche.

Ana: Y para mí un sándwich de jamón y queso.

[1] Croissants are mostly popular in Spain.

tomar to drink, to take **comer algo** to eat something **este** this **tienen** they have **Pues** Then **voy a comer** I'm going to eat **con** with

¡Te toca a ti!

A. ¿Qué vas a tomar? Work with a partner. You are at a snack bar. Decide which of the snacks listed you're going to have (or choose something else).

MODELO un sándwich de queso / un sándwich de jamón / ¿?

Estudiante 1: *¿Vas a comer algo?*
Estudiante 2: *Yo quisiera un sándwich de queso.*
Estudiante 1: *Yo voy a comer un sándwich de jamón.*

1. un bocadillo de jamón / un bocadillo de queso / ¿?
2. un pastel de fresas / un pastel de banana / ¿?
3. un croissant / un pan dulce / ¿?
4. un sándwich de queso / un sándwich de jamón y queso / ¿?
5. un pan tostado / una rebanada de pan / ¿?
6. un licuado de banana / un pan con mantequilla / ¿?

B. El desayuno Work with a partner. You are having breakfast in a café in Puerto Rico. What will you order from the server (your partner)?

MODELO

Estudiante 1 (camarero[a]): *¿Qué desea, señor (señorita)?*
Estudiante 2: *Un café y un pan tostado, por favor.*

PRONUNCIACIÓN *e*

Práctica

C. Listen and repeat as your teacher models the following words.

1. que
2. leche
3. Pepe
4. este

5. café	8. té
6. tres	9. es
7. nene	10. ese

¡A jugar con los sonidos!

Elena y Enrique Hernández están en España con sus hermanitos
Ernesto, Elvira y Emilia. ¡Olé!

D. Después de clase   Work in groups of four.

1. One of you is to meet a friend in a café. Greet
   your friend as he (she) arrives.

2. Your friend introduces you to a new person.

3. The server comes and takes your orders.

4. You ask the new person what things he (she) likes
   to do.

ESTRUCTURA

Identifying people: I, you, we

Subject pronouns

singular		plural	
yo	*I*	**nosotros(as)**	*we*
tú	*you* (informal)	**vosotros(as)**	*you* (informal)
usted	*you* (formal)	**ustedes**	*you* (formal)

subject pronoun

Yo **canto**

verb

1. Use **tú** to talk to a friend, a family member, or someone who is about your own age.

   Tú cantas muy bien. *You sing very well.*

2. Use **usted** to address older people or anyone that you don't know very well.

   Usted habla español. *You speak Spanish.*

3. Use **nosotros** to refer to yourself and a group of males or a mixed group of males and females. Use **nosotras** if you're a female to refer to yourself and a group of females.

4. **Vosotros(as)** is used only in parts of Spain. **Ustedes (Uds.)** is used throughout Latin America.

E. **¿De quiénes hablas?** Which subject pronoun would you use in the following situations?

yo   tú   usted   nosotros   nosotras   ustedes

1. to talk about yourself
2. to talk to the principal of your school
3. to talk to a group of teachers
4. You're a boy and you're talking about yourself and a group of friends.
5. You're talking to your best friend.
6. You're a girl and you're talking about yourself and a group of your girlfriends.

ESTRUCTURA

Talking about your activities: regular -ar verbs

1. An infinitive is the basic form of a verb. It's the form you find when you look in a dictionary. The infinitives of verbs in Spanish can end in three different ways: **-ar, -er, -ir.**

2. Verbs have two parts: the stem and the ending. The *stem* (**bail-** for **bailar**) gives you the meaning of the verb (*dance*). The verb *ending* changes depending on the subject, or who's doing the action (**-o** for **yo: bailo** = I dance).

3. Changing the verb ending is called *conjugating* the verb.

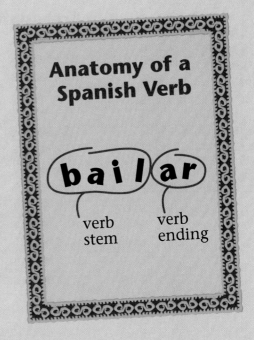

Anatomy of a Spanish Verb

bailar

verb stem   verb ending

Here are the verb endings for **yo, tú, usted, nosotros(as), vosotros(as), ustedes.**

Subject Pronoun	Verb Ending	Conjugated form of the verb *tomar*
yo	**–o**	tom**o**
tú	**–as**	tom**as**
usted	**–a**	tom**a**
nosotros (as)	**–amos**	tom**amos**
vosotros (as)	**–áis**	tom**áis**
ustedes (as)	**–an**	tom**an**

You already know these regular **-ar** verbs: **tomar, bailar, cantar, desear, escuchar, estudiar, hablar,** and **practicar.**

Two new verbs are **trabajar** (*to work*) and **viajar** (*to travel*).

Para aprender

When you look up a verb in a Spanish dictionary, you will see it in the infinitive form. Look up these words in the Glossary at the back of your book: *eat, learn, return.*

Aquí practicamos

F. Actividades Match the letter of each drawing to the sentence on the next page that describes it. On a separate piece of paper, write the appropriate letter in the blank after each sentence.

a.

b.

c.

d.

e.

f.

g.

h.

1. Nosotros bailamos mucho. _____

2. Tú cantas en el café. _____

3. Yo estudio español. _____

4. Usted viaja a Guatemala. _____

5. Tú escuchas la música. _____

6. Ustedes trabajan mucho. _____

7. Yo deseo una limonada. _____

8. Nosotras hablamos por teléfono. _____

G. Una carta Sandra is visiting her cousin, Octavio, in Mexico. Copy over her letter to her friend, Ana. Fill in each blank with the correct form of the verb in parentheses.

MODELO Usted _____ (hablar) español.
Usted __habla__ español.

Querida Ana,

¡Me gusta México! Yo (1) _____ (practicar) español con Octavio todos los días. Octavio y yo vamos a los cafés. Octavio no habla con el camarero. ¡Yo (2) _____ (hablar) con el camarero! Octavio y yo (3) _____ (tomar) dos limonadas. En el café, los camareros cantan. Ellos bailan también. Octavio y yo (4) _____ (escuchar).

¿Y tú, Ana? Tú (5) _____ (estudiar mucho), ¿verdad? ¡Pobrecita!

Un abrazo,

Sandra

PALABRAS ÚTILES

Expressing how well or often you do things

You can use the following words and phrases to express how well or how often you do something.

bien *well*   **todos los días** *every day*

muy bien *very well*   **siempre** *always*

mal *poorly*   **a veces** *sometimes*

Aquí practicamos

H. Hablo español todos los días. Use the expressions above. Work with a partner and take turns saying how well or how often you do the following activities.

> **MODELO** estudiar
> *Yo estudio todos los días.*

1. hablar español   4. estudiar
2. bailar   5. escuchar música popular
3. cantar en clase   6. trabajar

I. Lo personal Answer the following questions about yourself.

1. ¿Bailas mucho?
2. ¿Trabajas después de la escuela?
3. ¿Hablas español con tus amigos?
4. ¿Estudias mucho o poco?
5. ¿Practicas deportes *(sports)*? ¿Cuáles?
6. ¿Escuchas música popular? ¿rock? ¿clásica?
7. ¿Cantas en la ducha *(shower)*?
8. ¿Viajas durante las vacaciones? ¿Adónde?

J. ¿Lo hacen bien? ¿Lo hacen mucho? Say if you and a friend do the following activities well or a lot.

MODELO

bailar
Mi amiga Amalia y yo bailamos mucho.

1. cantar
2. hablar español
3. tocar el piano
4. trabajar
5. bailar
6. hablar otro idioma *(another language)*
7. estudiar
8. viajar (¿adónde?)

K. ¿Qué tienen en común? Work with a partner. Make a list of the activities you do in a typical week (see the **-ar** verbs on page 23). Compare lists. Report to the class what activities each of you does and what activities you both do.

MODELO

Yo toco la guitarra.
Pamela y yo estudiamos español.

Las comidas

In Spanish-speaking countries, lunch and dinner are served later than in the U.S. (In Spain, people sometimes eat dinner at 10 P.M.!) People often have a snack at mid-morning and at mid-afternoon. In many countries, lunch is the largest meal of the day. Going home in the middle of the day for a long lunch is a tradition throughout the Spanish-speaking world. People who take long lunches usually start work earlier in the morning and finish later in the evening than people in the U.S. This custom of a long lunch is changing. People today tend to eat a quick sandwich instead of going home.

Aquí escuchamos

¡A comer!   Luis and his friends are having a bite to eat at a café.

Antes de escuchar Based on what you have learned about food in this chapter, answer the following questions.

1. What are some of the things you expect Luis and his friends to order?

2. What question does a server usually ask when first taking an order?

 A escuchar Listen twice to the conversation Luis and his friends have with the waitress, paying special attention to what each person orders.

Después de escuchar On your activity master, put a check mark next to each item that Luis and his friends ordered. You may want to listen to the cassette again.

1. __ el agua mineral	5. __ un bocadillo
2. __ un croissant	6. __ un jugo
3. __ un pan dulce	7. __ un pan tostado
4. __ un pastel	8. __ un sándwich

enchiladas de carne

tacos de pollo

enchiladas de queso

¡ADELANTE!

 A. La merienda Work with a partner and act out the following activity. You meet a new student at a café to talk.

1. Greet each other.

2. Order something to eat.

3. Find out what he (she) likes to do (travel, dance, sing, etc.). Ask how well and how frequently he (she) does these activities.

B. ¿Qué vamos a tomar? Work with a partner.

1. List your five favorite beverages and five favorite foods from page 30, ranked in the order of preference.

2. You and your partner exchange lists and compare your preferences. Identify three beverages and three foods you both like.

3. Share your findings with the class.

EN LÎNEA

Connect with the Spanish-speaking world! Access the *¡Ya verás!* Gold home page for Internet activities related to this chapter.

http://www.yaveras.heinle.com

VOCABULARIO

The **Vocabulario** section consists of the new words and expressions presented in the chapter. When reviewing or studying for a test, you can go through the list to see if you know the meaning of each item and how you might use it. In the glossary at the end of the book, you can check the words you do not remember.

Para charlar (Chatting)

Para saludar (Greeting)
Buenos días.
Buenas tardes.
Buenas noches.
¡Hola!
¿Cómo estás?
¿Cómo te va?
¿Qué hay?
¿Qué pasa?
¿Qué tal?

Para contestar (Answering)
Mucho gusto.
(Muy) Bien, gracias.
  ¿Y tú?
Bastante bien.
Más o menos.
Regular.
Te presento a…

Para despedirse (Saying goodbye)
Adiós.
Chao.
Hasta luego.
Nos vemos.

Para presentar
Te presento a…

Para expresar gustos (Expressing likes), **como en un restaurante**
Me gusta…
¿Te gusta…?
¿Qué desea(n) tomar?
Yo quisiera…
Voy a comer…
Para mí…
Aquí tienen ustedes.
por favor
Vamos al café.
Vamos a tomar algo.

Temas y contextos

Bebidas (Beverages)
una botella de agua
  mineral
un café (con leche)
un chocolate
una granadina (con agua
  mineral, con soda)
un jugo de naranja
un licuado de banana
una limonada
un refresco
un té (con leche/con
  limón)
un vaso de agua

Comidas (Food)
un bocadillo
un croissant
un desayuno
la mantequilla
la mermelada
un pan dulce
un pan tostado
un pastel de fresas
una rebanada de pan
un sándwich de jamón
  y queso

Vocabulario general

Sustantivos (*Nouns*)
un(a) amigo(a)
un abrazo
un(a) camarero(a)
el español
una merienda
la música
un señor
una señorita

Pronombres
yo
tú
usted (Ud.)
nosotros(as)
ustedes (Uds.)
vosotros(as)

Verbos
bailar
cantar
comer
desear
escuchar
estudiar
gustar
hablar
practicar
tomar
trabajar
viajar

Adverbios
a veces
bien
después de
mal
muchísimo
mucho
muy
muy bien
muy poco
un poco
siempre
todos los días

Otras palabras (*words*)
  y expresiones
algo
caliente
con
De nada.
este
frío(a)
Muchas gracias.
no
perdón
pues
sí
un(a)
unos(as)

ENCUENTROS CULTURALES

Mesón del pirata

Antes de leer

Reading Strategies

- pre-reading activities
- guessing text function
- skimming
- scanning
- recognizing cognates

1. Look at the following advertisement. Who might read it? Why?

2. Skim the entire advertisement. What kinds of information does it give you?

3. Scan the middle of the ad and find at least five cognates (words spelled similarly in English and Spanish that have the same meaning).

4. In which Latin American country is this restaurant located?

Restaurante Mesón del pirata

¡Donde comer es una aventura!

Situado en el viejo San Juan
Calle del Cristo 137
Tel 258-9553 • Fax 258-9221

Servimos todo tipo de comidas puertorriqueñas. Son las más exquisitas de toda la isla. Nuestras especialidades criollas son incomparables. Nuestro chef, don Tico, es un experto. Es el mejor chef de comida criolla de San Juan.

〰〰〰 **Platos típicos** 〰〰〰

tostones con mariscos
tostones rellenos con mariscos
queso frito del país

arafritas de plátano
surullitos de maíz rellenos con queso
quesitos fritos
fricasé de conejo

filete relleno con chorizos
arroz con pollo
asopao de pollo

Guía para la lectura

The term **comida criolla** is used in some Latin American countries to describe prepared food that is typical of a certain region or country. In Puerto Rico, **comida criolla** is similar to Spanish foods but with Puerto Rican ingredients and spices.

Después de leer

1. In what city is the restaurant located? What is the address?

2. According to the ad, which of the following statements accurately describe the foods that are served at the restaurant?

   a. Mostly American dishes are served.

   b. This is a fun and exciting restaurant.

   c. The restaurant specializes in Puerto Rican dishes.

   d. The chef is a great chef.

   e. Dancing and live music are offered.

3. Give at least two reasons you might like to go to this restaurant.

4. Go to your media center or the Internet and find some recipes for foods from Spain. What are some of the ingredients and spices used?

5. Look in your local newspaper or a newspaper from a larger city for advertisements for restaurants. Are there any that serve Latin American food? Which ones? Report your findings to the class.

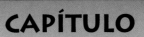

CAPÍTULO

2

¡Vamos a un bar de tapas!

1. What kinds of snacks do you like to eat?
2. When do you usually eat snacks?

Objectives

In this chapter you will learn to:

☺ order something to eat

☺ greet, introduce, and say goodbye to people

Las tapas son muy populares en España.

Capítulo 2 ¡Vamos a un bar de tapas! **35**

1. As you noticed in **Capítulo** 1, people eat different kinds of food when it is time for a snack. The pictures below show some typical snacks from Spain, called **tapas**. (In the United States, these kinds of foods might be called appetizers.)

2. Try to identify some of the **tapas** in the pictures.

Las tapas españolas

Aquí hay *algunas típicas tapas españolas.*

aceitunas

cacahuetes

calamares

pan con chorizo

patatas bravas

queso

tortilla (de patatas)

¡Te toca a ti! ⬡⬡⬡⬡⬡⬡⬡⬡

A. ¿Cuál deseas? Imagine that you are going to eat **tapas**. Working with a partner, say which of the two **tapas** you would like to order.

> **MODELO** **Estudiante 1:** ¿Deseas la tortilla o las patatas?
> **Estudiante 2:** *Pasa las patatas, por favor.*

1. ¿Deseas los cacahuetes o las aceitunas?
2. ¿Deseas el queso o el chorizo?
3. ¿Deseas la tortilla de patatas o el pan?
4. ¿Deseas los calamares o la tortilla?
5. ¿Deseas las aceitunas o el queso?
6. ¿Deseas el chorizo o las patatas bravas?
7. ¿Deseas el pan o los calamares?

B. ¡Más aceitunas, por favor! You are hungry and you want to order more **tapas.** Choose four from the list and place your order.

> **MODELO** aceitunas
> *Camarero, más aceitunas, por favor.*

cacahuetes	patatas bravas	pan con chorizo
tortilla	aceitunas	queso
calamares		

C. ¡Qué hambre! Working in groups of three, pretend you are in a cafe. You are hungry and want something more to eat than **tapas.** What do you order? Role-play the following activity. Two of you are customers and the third is the server. Use vocabulary from pages 19 and 30.

> **MODELO** **Estudiante 1 (camarero[a]):** *¿Qué desean comer?*
> **Estudiante 2:** *Yo quisiera un sándwich de jamón y queso.*
> **Estudiante 3:** *Y yo...*

Práctica

D. Listen and repeat as your teacher models the following words for you.

1. sí	5. y	9. ti
2. mi	6. mira	10. tiza
3. silla	7. hija	11. Lili
4. allí	8. mochila	12. libro

¡A jugar con los sonidos!
Ignacio Ibarra invitó a Inés Ibáñez, la hija de don Idelfonso Hinojosa.

Comentarios CULTURALES

Las tapas

In Spain, one of the most popular pastimes for friends, business associates, and relatives is to meet for **tapas**. Spaniards usually do this after work or before dinner—anywhere from five to nine in the evening.

E. Mis actividades
Say whether or not you do the following activities. If you do them, say how often or how well.

> **MODELO** cantar
> *Yo canto mucho*
> *Yo no canto muy bien.*

1. trabajar
2. escuchar música
3. viajar
4. cantar

5. hablar inglés
6. bailar
7. hablar español
8. estudiar matemáticas

F. ¡De tapeo!
Work in groups of four.

1. You are with your older brother or sister at a café for **tapas**, and a friend from school joins you. Greet each other and introduce your friend to your brother or sister.

2. Place your orders with the server for a drink and lots of **tapas**!

3. Ask each other questions about what you like to do in your spare time.

ESTRUCTURA

Identifying people

Subject pronouns: *él, ella, ellos(as)*

¿Miguel? **Él** viaja mucho.

¿Anita? **Ella** habla español muy bien.

¿Jaime y Tomás? **Ellos** cantan bien.

¿Paquito y Laura?
Ellos estudian mucho.

¿Juan y Clara? **Ellos** bailan.

	singular		plural	
masculine	él	*he*	ellos	*they*
feminine	ella	*she*	ellas	*they*

1. **Ellas** refers to two or more females.

2. **Ellos** refers to two or more males, or a male and one or more females.

   ¿Anita y Carlos? Ellos son de Ecuador.   *Anita and Carlos? They're from Ecuador.*

Aquí practicamos

G. ¿Quién?   Say which subject pronoun you would use in each of the following situations.

yo   tú   usted   él   ella   nosotros

nosotras   ustedes   ellos   ellas

1. You are talking to your brother.
2. You are talking about your brother.
3. You are talking about yourself and your brother.
4. You are talking about Señorita Ortiz.
5. You are talking to Señorita Ortiz.
6. You are talking about a group of eighth graders.
7. You are talking to a group of eighth grade boys and girls.
8. You are talking about your mother and sister.

ESTRUCTURA

Talking about your and others' activities

Regular -ar verbs

1. Here are the **-ar** verb endings for **él, ella, ellos, ellas.**

Subject Pronoun	Verb Ending	Conjugated form of trabajar
él	–a	traba**ja**
ella	–a	traba**ja**
ellos	–an	traba**jan**
ellas	–an	traba**jan**

2. Here are other **-ar** verbs.

ganar dinero	*to earn money*
mirar	*to look at, to watch*
tocar	*to play a musical instrument*

3. Because in Spanish the verb endings show you who the subject is, there is no need to repeat the subject pronouns.

Escuchas música clásica.   *You listen to classical music.*

Hablan español.   *They speak Spanish.*

4. Use the subject pronouns only for emphasis or clarification.

Usted toma un café pero yo tomo un té.   *You are having coffee but I am having tea.*

Aquí practicamos

H. Las actividades   How many sentences can you make by combining words and phrases from each column? Write at least six. Remember to conjugate the verbs to match the subject of your sentence!

A	B	C
ellos	cantar	en un café
yo	hablar	una limonada
Juan y Alicia	trabajar	en clase
nosotras	escuchar	inglés
Carlos	mirar	dinero
Patricia y yo	bailar	música clásica
ustedes	tomar	todos los días
tú	viajar	en casa
ellos	desear	patatas bravas
el señor Suárez	estudiar	a San Salvador
el (la) profesor(a)	practicar	la televisión
mis hermanos		

I. Mi amiga colombiana   Your Colombian friend has some questions for you. Answer her using subject pronouns and the expressions in parentheses.

> **MODELO**   **Tu amiga:** ¿John habla español mal?
> (muy bien)
> **Tú:** *No, él habla español muy bien.*

1. ¿Jack baila muy poco? (muchísimo)

2. ¿Nancy y Kay estudian poco? (mucho)

3. ¿Helen trabaja todos los días? (a veces)

4. ¿Julie y Tom cantan bien? (mal)

5. ¿Ed y Andy escuchan música clásica todos los días? (a veces)

6. ¿Lisa gana mucho? (muy poco)

J. **¿Qué pasa?** Tell what the people are doing.

MODELO *Juan toma una limonada.*

Juan

1. usted

2. María y Gregorio

¿Qué tal? Bien, ¿y tú?

3. ellos

4. nosotros

5. tú

6. yo

Asking and answering *sí/no* questions

—¿**Estudias** mucho?	*Do you study a lot?*
—**Sí, yo estudio** mucho.	*Yes, I study a lot.*
—¿**Hablan ustedes** francés?	*Do you speak French?*
—**No, no hablamos** francés.	*No, we don't speak French.*
—**Ellos trabajan** mucho, ¿no?	*They work a lot, don't they?*
—**Sí, trabajan** mucho.	*Yes, they work a lot.*
—**Ella no toca** la guitarra, ¿verdad?	*She doesn't play the guitar, does she?*
—**No, no toca** la guitarra.	*No, she doesn't play the guitar.*

Aquí practicamos

¿Te acuerdas?

To make a sentence negative, put **no** in front of the conjugated verb. **Yo no viajo mucho.**

K. ¡Tantas preguntas!   Choose ten of the following statements and change them into questions:

a. First, change each statement to a question by making your voice rise at the end of each sentence:

   ¿Ella habla mucho en clase? 🡅

b. Then, change each statement to a question by switching the order of the subject and verb.

   ¿Habla ella mucho en clase? 🡅

c. Finally, use **¿verdad?** to change each statement into a question.

   Ella habla mucho en clase, ¿verdad? 🡅

1. Usted desea un café.
2. Tú miras mucho la televisión.
3. Román trabaja poco.
4. La señorita Ruiz gana mucho dinero.
5. Viajamos a Ecuador.
6. Ellos cantan bien.
7. Ana y Rosa cantan muy mal.
8. Tú hablas español.
9. Ella no estudia mucho.
10. Ellos trabajan poco.
11. Ustedes toman té.
12. Usted no gana mucho dinero.

L. **¡Hagan preguntas!** Circulate about the class to find as many people as you can who participate in the following activities. On your activity master, indicate who answers **sí** by writing their name(s) in the blanks. Report your findings to the class.

MODELO hablar francés

Estudiante 1: *Tú hablas francés, ¿verdad?*

Estudiante 2: *Sí, hablo francés.*

Estudiante 1: *(A la clase): Suzanne habla francés.*

1. cantar muy bien				
2. enviar correo electrónico (*send e-mails*)				
3. conversar por teléfono todas las noches				
4. hablar español con los amigos				
5. tocar un instrumento				
6. escuchar música latina				
7. practicar el béisbol				

Aquí escuchamos

En un bar de tapas Beatriz, Linda, and Cristina are having **tapas**.

Antes de escuchar Given the topic, think about vocabulary you might hear in the conversation.

 A escuchar As you listen to the conversation, put a check mark on your activity master next to each of the following words every time you hear it.

1. __ aceitunas	4. __ pan con chorizo
2. __ agua mineral	5. __ refresco
3. __ calamares	6. __ tortilla de patatas

Después de escuchar On your activity master, indicate which items each person orders. Beatriz speaks first, then Linda, then Cristina. You may want to listen to the cassette again.

	Beatriz	Linda	Cristina
1. agua mineral			
2. tortilla			
3. calamares			
4. pan con chorizo			
5. refresco			

¡ADELANTE!

A. Chismes Work with a partner.

1. Your partner knows the new student at school better than you. Find out if the new student...
   - is a good singer and dancer
   - plays sports
   - works
   - speaks Spanish

2. Ask two additional questions about the new student.

B. ¡Tantas actividades! Work with a partner and ask each other questions about things you do. Write nine sentences about your activities and report to the class.

1. Write three things that you *both* do.

2. Write three that only *you* do regularly.

3. Write three that only your *partner* does.

> **MODELO** *Eduardo y yo practicamos béisbol...*
> *Yo toco el saxofón... Él estudia álgebra...*

SEGUNDA ETAPA

¡Buenos días!
¡Hasta luego!

At the cafe, Lucas Pereda and his friend Jaime Torres run into two friends of Lucas' parents, **el señor** *and* **la señora** *García.*

1. When you meet an older person for the first time in a Spanish-speaking culture, you are expected to use certain formal expressions. In English, how would you greet a person who is older than you, or someone you haven't met before or don't know very well?

2. How would you introduce a teenage friend of yours to another teenage friend?

3. How would you introduce a teenage friend to a friend of your parents?

Sr. y Sra. García:	Buenos días, Lucas.
Lucas:	¡Oh! Buenos días, señor García. Buenos días, señora. **¿Cómo están ustedes?**
Sra. García:	Muy bien, gracias. ¿Y tú?
Lucas:	**Estoy** muy bien, gracias. **Quisiera presentarles a mi amigo** Jaime Torres. El señor y la señora García.
Sr. y Sra. García:	Mucho gusto, Jaime.
Jaime:	**Encantado**, señora. Mucho gusto, señor.
Sr. García:	**¿Van a** tomar un café?
Lucas:	No, **acabamos** de tomar unos refrescos.
Sr. García:	¡Ah! Pues, hasta luego. **Saludos a tus padres**.
Lucas:	Gracias.
Lucas y Jaime:	Adiós, señor, señora.
Sr. y Sra. García:	Adiós.

Saludos	**Respuestas**	**Presentaciones** *(Introductions)*
Buenos días.	(Estoy) Bien, gracias. ¿Y Ud.?	Quisiera presentarle(s) a...
¿Cómo están ustedes?		Encantado(a).
¿Cómo está usted?		Mucho gusto.
		Igualmente. *(Likewise.)*

¿Cómo están ustedes? *How are you?* **Estoy** *I am* **Quisiera presentarles a mi amigo** *I would like to introduce you to my friend* **Encantado(a)** *Pleased to meet you.* **Van a** *Are you going to* **acabamos de** *we've just finished* **Saludos a tus padres** *Say hello to your parents*

Saludos informales y formales

When you speak to people in Spanish, you need to choose between formal and informal ways of addressing them (**tú** or **usted**). With friends your own age, or people you know well, use these informal expressions: **¡Hola!**, **¿Qué tal?**, **¿Cómo estás?**, **¿Cómo te va?**, **Te presento a...** With older people and people you don't know well, use these formal expressions: **¿Cómo está usted?**, **¿Cómo están ustedes?**, **Quisiera presentarle a...**

Older people often speak informally (using **tu** forms) to a younger person who still addresses them formally as **usted**. You saw this in the conversation between Lucas, Jaime, and **el señor** and **la señora** García.

¡Te toca a ti!

A. ¿Cómo respondes?   Respond to each greeting from the person in parentheses with a formal or informal expression.

> **MODELO**   Hola, Alberto. (Sr. Pérez)
> *Buenos días, señor Pérez.*

1. ¿Cómo estás, Adela? (Sr. Carrillo)
2. ¡Hola, Lourdes! (Sra. Ramírez)
3. Quisiera presentarle a mi amigo Pepe. (Sra. Ruiz)
4. ¿Cómo están ustedes, señores? (Margarita)
5. Mucho gusto, Raquel. (Sra. Castillo)

B. ¿Qué dices? Match each cue with an appropriate expression in Spanish.

1. Ask how your friend is.	a. Quisiera presentarles a mi amigo Marcos.
2. Ask how your teacher is.	b. ¿Cómo están?
3. Introduce a friend to your parents.	c. Bien, gracias.
4. Ask how some friends are.	d. ¿Cómo está?
5. Say you're glad to meet someone.	e. Mucho gusto.
6. Answer that you're feeling fine.	f. ¿Qué tal? ¿Cómo estás?

C. Presentaciones

Paso 1. Your friend Paco introduces you to his parents. Add your name and complete your part of the conversation.

> Paco: Hola, mamá y papá.
> Sr. Gómez: ¡Paco! ¿Qué tal?
> Paco: Bien. Quisiera presentarles a mi amigo(a) ___ (*nombre*).
> Los Gómez: Mucho gusto, ___.
> Tú: ___
> Sra. Gómez: ¿Cómo estás, ___?
> Tú: ___
> Sra. Gómez: Muy bien, gracias.
> Sr. Gómez: Muy bien.
> Paco: ___ , ¿deseas tomar un refresco?
> Tú: ___

Paso 2. Now practice the conversation with three classmates.

Práctica

D. Listen and repeat as your teacher models the following words.

1. ojo	5. año	9. por
2. con	6. como	10. vaso
3. algo	7. jugo	11. nosotros
4. chorizo	8. política	12. disco

¡A jugar con los sonidos!

Yo no toco el piano ni el órgano, y Orlando, mi primo hondureño, no los toca tampoco.

E. **Escuchen bien**   Find out if one of your classmates does the following activities. Work with a partner. Ask the following questions, then report what you found out about your classmate to the class.

MODELO   hablar mucho por teléfono

Estudiante 1: *¿Hablas mucho por teléfono, Daniela?*

Estudiante 2: *Sí, yo hablo mucho por teléfono. (No, yo no hablo mucho por teléfono).*

Estudiante 1: *Daniela habla mucho por teléfono. (Daniela no habla mucho por teléfono).*

1. tocar un instumento
2. bailar muy bien
3. viajar en las vacaciones
4. mirar mucho la televisión

5. estudiar matemáticas
6. cantar bien
7. trabajar con la computadora
8. tomar café

F. **Mi amigo(a) y yo**   Work in pairs.

1. Take turns asking each other about the activities listed in the chart on the next page. Put an x under the activities each of you does.

2. Report on your similarities and differences. Follow the model.

	estudiar	cantar	bailar	viajar	trabajar	tocar
yo						
mi amigo(a)						

MODELO **Estudiante 1:** *Carmencita, cantas bien, ¿verdad?*
Estudiante 2: *Sí, canto bien.*
Estudiante 1: *Mi amiga canta bien. Yo no canto bien, pero bailo muy bien.*

ESTRUCTURA

Talking about needs and desires; saying that something has just been completed.

¿No deseas trabajar?	*Don't you want to work?*
Quisiera leer un libro.	*I'd like to read a book.*
Necesitan escribir mucho.	*They need to write a lot.*
Acabo de bailar con Martina.	*I've just danced with Martina.*

1. Look at the sentences above. Each sentence has two verbs. The first verb is in its conjugated form. That means it has a personal ending according to the subject. The second verb is in the infinitive form, ending in **-ar, -er, ir.** Can you identify the conjugated forms and infinitives in each sentence?

2. To phrase a question in the negative, place **no** in front of the conjugated verb form.

PALABRAS ÚTILES

Giving reactions

To confirm an affirmative statement, use the word **también** (*also, too*). For a negative statement, use **tampoco** (*neither, either*).

Deseo bailar.	*I want to dance.*
Deseo bailar **también**.	*I want to dance too.*
No deseo estudiar.	*I don't want to study.*
No deseo estudiar **tampoco**.	*I don't want to study either.*

Aquí practicamos ◈◈◈◈◈◈

G. ¿Quisieras...?   You and your classmate are at a party. Ask if he or she would like to do the following things.

> **MODELO**   comer tapas
>
> **Estudiante 1:**   *¿Quisieras comer tapas?*
>
> **Estudiante 2:**   *Sí, quisiera comer unas patatas bravas. (No, quisiera comer).*

1. bailar
2. cantar
3. escuchar música
4. tomar
5. hablar con mi amigo(a)
6. comer una hamburguesa

H. ¿Deseas o necesitas?   Work with a partner.

1. On your activity master, indicate whether you *want* or *need* to do the following activities. Write **sí** or **no** in the appropriate spaces.

2. Then ask what your partner wants or needs to do. If your classmate gives the same response as you, he (she) should add **también** to the answer on the master. If he or she gives the same **no** response as you, he (she) should add **tampoco**.

3. Report to the class
   a) one activity you both want to do,
   b) one you both need to do,
   c) one that neither one of you wants to do, and
   d) one that neither of you needs to do.

> **MODELO**   *Mi amiga Ana y yo deseamos viajar durante las vacaciones. Necesitamos ganar dinero. Deseamos trabajar mucho. No necesitamos gastar mucho. Ella no necesita..., pero yo sí necesito...*

	Yo necesito...	Yo deseo...	Mi amigo(a) necesita...	Mi amigo(a) desea...
viajar en las vacaciones				
hablar con el profesor				
tomar un refresco				
trabajar mucho				
tocar un instrumento				
mirar la televisión				
estudiar mucho				
ganar mucho dinero				

 I. Consejos prácticos Work with a partner. Your partner takes the role of your parent and tells you what you need to do. You answer that you have just done everything.

MODELO estudiar matemáticas

Estudiante 1: *Necesitas estudiar matemáticas.*

Estudiante 2: *Pero ¡acabo de estudiar matemáticas!*

1. estudiar español
2. trabajar mucho
3. comer bien
4. hablar por teléfono a la abuela (*grandmother*)
5. ganar dinero
6. practicar el piano

Aquí escuchamos

El señor y la señora Jiménez   Alicia and her friend Reynaldo meet some friends of her parents in the park.

> **Antes de escuchar**   Think about the formal and informal phrases for greetings, introductions, and good-byes that you have learned. You may want to check on pages 5 and 49.

> **A escuchar**   Listen twice to the conversation.

> **Después de escuchar**   Answer the following questions about the conversation you just heard.

1. Who uses formal **usted** forms in the conversation? Why ?
2. Who uses informal **tú** forms? Why?
3. What do the two couples decide to do?
4. What are some of the courtesy phrases you hear in the conversation?

 A. Buenos días, señor(a)   Work in groups of three. The roles are two friends and an adult.

1. While walking with a friend, you run into a Venezuelan friend of your parents, **Sr.(Sra.) Ruiz.** Introduce your friend to him/her.

2. **Sr.(Sra.) Ruiz** will ask the two of you about what you like to do.

B. Preferencias   Write three things you want to do and three you don't want to do today.

> **MODELO**   *No deseo mirar la televisión, pero deseo escuchar música.*

EN LÍNEA

Connect with the Spanish-speaking world! Access the *¡Ya verás! Gold* home page for Internet activities related to this chapter.

http://www.yaveras.heinle.com

VOCABULARIO

Para charlar

Para saludar
(Greetings)
¿Cómo está Ud.?
¿Cómo están Uds.?
Saludos a tus padres.

Para contestar
(Muy) Bien, gracias.
¿Y Ud.?

Para presentar
(Introductions)
Quisiera presentarle(s)
a…

Para contestar
Encantado(a).
Igualmente.

Temas y contextos

Tapas *(Spanish snacks)*
las aceitunas
los cacahuetes
los calamares
el chorizo
el pan
las patatas bravas
el queso
la tortilla (de patatas)

Vocabulario general

Pronombres
(Pronouns)
él
ella
ellos
ellas

Verbos
acabar de
ganar
mirar
necesitar
pasar
tocar

Otras palabras y expresiones
aquí hay...
el dinero
más
pero
¡Qué hambre!
¿Quisieras…?
también
tampoco
¿Van a…?
¿verdad?

Personas
el (la) amigo(a)
el (la) señor(a)

ENCUENTROS CULTURALES

¡Palabras y más palabras!

Antes de leer

1. Do you know any words that you use that are considered different or unusual in other parts of the United States? For example, do you say *soda* or *pop*?

2. Have you ever heard people from England speak English? Their accent is very distinctive and many of the words they use are different from English words used in the United States. Do you know any examples of these words?

3. What is a synonym? In this reading you will see several synonyms in Spanish for the words *attractive, car,* and *money,* among others. Can you think of synonyms for these words in English?

Guía para la lectura

Here are some expressions to keep in mind as you read.

se habla	is spoken
las mismas cosas	the same things

El español se habla en muchos países. Las personas frecuentemente usan palabras o expresiones diferentes para referirse a las mismas cosas. Aquí hay una lista de algunas.

attractive (cute, pretty, handsome) *atractivo, guapo, apuesto, buen mozo, mono, tipazo*

crazy *loco, chiflado, chalado, ido, pirado, demente, desiquilibrado*

gossip *chisme, cotorreo, cháchara, parloteo*

bus *autobús, camión, guagua, ómnibus*

car *automóvil, auto, carro, coche*

straw (for drinking) *paja de sorber, pajita, pajilla, popote, sorbete*

kite *cometa, papalote, chiringa, barrilete, birlocha, volantín*

money *dinero, plata, chavos*

suitcase *maleta, valija*

trunk (of a car) *baúl, cajuela, maletero, portaequipajes*

avocado *aguacate, palta*

banana *plátano, banana, banano, guineo*

bean *frijol, habichuela, haba, judía, ejote*

grapefruit *pomelo, toronja*

orange *naranja, china*

peach *durazno, melocotón*

peas *guisantes, arvejas, petipúa, chícharo*

pineapple *piña, ananás*

shrimp *camarón, gamba, quisquilla*

Después de leer

1. English language was formed from many different languages. Make a list of five everyday words in English. Using a good dictionary, find the origin of those words. You may need to consult your school or city librarian.

2. Choose four of the Spanish synonyms listed. Find out in which Spanish-speaking country they are used. Ask Spanish-speaking classmates or friends, or interview your teacher.

3. We all use slang expressions. Work with a partner and make a list of some slang words or phrases used in your school. Then make a list of the same words or phrases in standard English.

MODELO "I don't have any dough."
(I don't have any money.)

Hay muchos nombres diferentes para las frutas

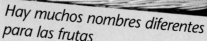

¿Te gusta la comida mexicana?

1. Is there a Mexican restaurant near you?
2. What can you eat there?

Objectives

In this chapter you will learn to:

☺ order something to eat

☺ find out where people are from and what they do for work

—Para mí, una enchilada de carne con arroz.

1 Do you know any Mexican dishes? Do you have any friends whose family prepares Mexican foods? Make a list of all the Mexican dishes you know.

2 How is Mexican food different from American food, in general? (Think about spices, colors, sauces, etc.)

¡Vamos a un restaurante!

Rafael y Pablo están en un restaurante en México.

Camarero:	Buenos días, señores. **¿Qué van a pedir?**
Rafael:	Yo quisiera comer un taco de **pollo** con **frijoles**.
Pablo:	Para mí, una enchilada de **carne** con **arroz**.
Camarero:	¿Y para **tomar**?
Raphael:	Un vaso de agua con limón.
Camarero:	¿Y para Ud., señor?
Pablo:	Una limonada, **bien** fría, por favor.
Camarero:	Muy bien.

¿Qué van a pedir? *What would you like to order?* **pollo** *chicken* **frijoles** *beans* **carne** *meat* **arroz** *rice* **tomar** *drink* **bien** *very*

¡Te toca a ti! ◈◈◈◈◈◈◈◈◈◈

A. Tus preferencias   Have you ever tried Mexican food?
Have you eaten any of the following Mexican dishes? Read
aloud the ones you've eaten, or would like to try.

enchiladas de carne

enchiladas de queso

tacos de pollo

tacos de carne

arroz con frijoles

frijoles

B. ¿España o México? Read the statements from some people about food. Based on the food mentioned, say whether they are in **España** or in **México?** If you need to, look back at the names of Spanish food on pages 36 and 63.

1. A mí me gusta mucho comer tapas.

2. Yo quisiera un bocadillo de jamón, por favor.

3. Para mí una enchilada de carne con salsa, por favor.

4. Un sándwich de jamón . . . y con chiles, por favor.

5. Yo deseo un taco de pollo con frijoles.

C. ¿Qué vas a tomar? Read the sentences below. Then say the letter of the sentence that goes with each picture.

1.

2.

3.

4.

a. Yo deseo un café con leche.

b. Yo quisiera comer unas tapas y tomar algo bien frío.

c. ¿Deseas un bocadillo?

d. A mí me gusta la comida mexicana . . . Mmmm . . . ¡tacos y frijoles con arroz!

Práctica

D. Listen and repeat as your teacher models the following words.

1. tú	5. gusta	9. jugo
2. lunes	6. saludos	10. música
3. Perú	7. Cuba	
4. un	8. mucho	

¡A jugar con los sonidos!

Humberto y Úrsula Ulloa escuchan música cubana los lunes a la una.

 REPASO

E. ¡Hola! ¿Qué tal?   Write short dialogues in which the following pairs of people greet each other. Pay attention to the level of language. Would you use a formal expression or an informal one?

MODELOS		
	Silvia:	*¡Hola, Cristina!*
	Cristina:	*¡Hola! ¿Qué tal, Silvia?*
	Silvia:	*Muy bien. ¿Y tú?*
	Cristina:	*Más o menos.*

Silvia/Cristina

1. el Sr. González/la Srta. Díaz   2. Enrique/Antonio   3. Héctor/Teresa/Samuel

Una fruta nutritiva y deliciosa

Reading Strategies

- pre-reading activities
- using illustrations to predict content
- skimming

Antes de leer

1. Think of some foods that are eaten in certain regions of the United States. Some examples might be grits in the South or lobster in the Northeast. Make a list of some of these regional foods and the areas where they are popular.

2. Look at the title of this reading section. Then look at the pictures. What is the reading about?

3. The reading mentions a fruit commonly eaten in the Caribbean—Cuba, Puerto Rico, the Dominican Republic, and Colombia. Look at the map of Central America on page xiv and locate these countries.

Guía para la lectura

Here are some words and expressions to help you as you read.

plátano	*plantain (a kind of banana)*	**papitas**	*potato chips*
mismo	*same*	**se rellena**	*one fills*
tamaño	*size*	**se cocina**	*one cooks*
sabor	*taste*	**azúcar**	*sugar*
maneras	*ways*	**helado**	*ice cream*
platos	*dishes*		

Para los españoles y los mexicanos, el plátano es lo mismo que el banano. Pero en la región del Caribe, el plátano es diferente. Es una fruta con una textura, tamaño y sabor muy diferente. Muchas familias tienen una planta de plátano en el patio de su casa. Hay muchas maneras de preparar el plátano. Aquí hay unos platos que contienen plátano.

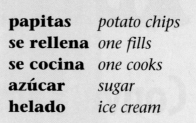

La cocina criolla

- **Platanutres**
  Son como papitas, pero de plátano verde.

- **Tostones**
  Son plátanos fritos, como papitas.

- **Piñón**
  Es un plato como *lasagna*, pero se usa plátano maduro en vez de pasta.

- **Pasteles o pastelones**
  Son como tamales pero se rellena la hoja del plátano con papas, plátano, carne y/o queso.

- **Plátano con frijoles**
  Es una combinación rica de plátano, frijoles y tomate.

- **Platanos con salsa de caramelo**
  Es un plato dulce; se cocina plátano maduro en mantequilla, jugo de naranja y azúcar. Se sirve con helado de vainilla.

Después de leer

1. Have you ever eaten a cooked banana?

2. In an encyclopedia or on the Internet, locate information about the kinds of fruit grown in Cuba, Puerto Rico, the Dominican Republic, and Colombia. Report your findings to the class.

3. In your local grocery or supermarket look in the produce section for any fruits from the countries mentioned. Choose one of the dishes in the menu that interests you.

4. Look in a cookbook or on the Internet for recipes using bananas. Choose one you might like to try and copy it. You may want to make the recipe and bring samples in for your class.

Vistas
de los países hispanos

Puerto Rico is an island in the Caribbean. It is about three times the size of Rhode Island and is part of the United States. The inhabitants of Puerto Rico are actually United States citizens. Spanish is the primary language, but English is taught in school from kindergarten through high school.

- The music called **salsa** started in the Puerto Rican community in New York. It is a mixture of big band jazz and African rhythms.
- Roberto Clemente was a famous outfielder for the Pittsburgh Pirates baseball team. He came from Puerto Rico.
- Puerto Rico's foods and cooking are a lot like those of Spain and Mexico. Puerto Rican cooking uses local spices and ingredients such as coriander, papaya, and plantains.
- Puerto Ricans are truly people of two different cultures. They love to play both Caribbean dominoes and American baseball!

Cuba

Haiti Dominican Republic

Jamaica

San Juan
★
Puerto Rico

Puerto Rico

EXPLORA

Find out more about Puerto Rico!
Access the **Nuestros vecinos** page on the
¡Ya verás! *Gold* web site for a list of URLs.

http://www.yaveras.heinle.com/vecinos.htm

En la comunidad

Using Spanish in Your Community

You may be surprised to learn how many people in your own community speak Spanish. You may hear it in the mall, on the street or in an office or store. Knowing Spanish will prove more useful than you ever imagined! In these sections, you will meet some Americans who use Spanish in their daily life.

¡Bienvenidos a Randy's Diner!

"When I started this business, I never dreamed I'd learn Spanish. Back then, there were hardly any Spanish speakers in St. Paul. Today, most of my customers speak Spanish. I've expanded my menu to suit their tastes. This year I'm even taking a Spanish class at the University of Minnesota so that I can communicate better with my new neighbors and customers. So if you'd like to try a delicious licuado, a tasty **churro,** *or some* **huevos revueltos,** *you've come to the right place. ¡Estamos aquí para servirles!"*

huevos revueltos *scrambled eggs*
churro *sugared fried dough*

¡Ahora te toca a ti!

1. Review the food vocabulary listed in the **Vocabulario** sections at the end of **Capítulos** 1-3. If possible, choose a restaurant in your community that serves food from Latin America or Spain. If there are none in your community, make up an imaginary menu from the foods listed at the end of the chapters. With a classmate, imagine that you are eating in the restaurant, and order your meal in Spanish. Then, write a description of your meal, using the vocabulary you have learned in this chapter.

2. Imagine that you own a Hispanic restaurant similar to Randy's. With a classmate, name your restaurant. Then, decide which Spanish and Latin American dishes to include in your menu. Make a list.

Proyectos

El menú

In activity 2 on page 91, you planned a menu for a Hispanic restaurant. Now design your menu.

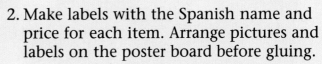

Vas a necesitar:

- tijeras
- marcadores o lápices de colores
- revistas y periódicos
- cartulina blanca
- pegamento

1. Plan the design of your menu on a piece of paper. How do you want to organize the items on your menu? Draw or cut pictures from magazines for each item.

2. Make labels with the Spanish name and price for each item. Arrange pictures and labels on the poster board before gluing.

3. Share your menu with the class.

Restaurante Mis amigos
Comida mexicana
enchiladas de pollo
enchiladas de carne
tacos
frijoles

¡A cocinar!

Can you find recipes for some of the foods listed in this unit? Try visiting the *¡Ya verás! Gold* web site at **http://www.yaveras.heinle.com** and look at the links for **Capítulos** 1-3. Your school and local libraries might have cookbooks as well. Or, you might contact friends and neighbors who have lived in or visited Spanish-speaking countries to help you. Once you find a recipe you like, prepare the food at home and bring it to class.

---

tijeras *scissors*   marcadores *markers*   lápices de colores *colored pencils*
revistas *magazines* periódicos *newspapers*   cartulina blanca *white poster board*
pegamento *glue*

Un juego

¿De dónde eres?

Vas a necesitar:

• tarjetas pequeñas (*note cards*)
• libro de texto (*text books*)

Paso 1. Work with a partner or work in groups of four. Look on page 74 for the names of countries in Spanish.

Paso 2. Write the name of each country on two index cards. You may choose to play with fewer names of countries than all that are listed in the book.

Paso 3. Arrange the two sets of cards face down on two desk tops, or across from each other on a table.

Paso 4. When it's your turn, pick a card. Say **Soy de** and the name of the country on your card. Then ask someone on the other team (or your partner): **¿De dónde eres?** He (she) then picks a card. If this person answers with the name of your country, you win the match! If not, the other team or person gets turn.

Objectives

In this unit you will learn to:

- ☼ talk about your possessions
- ☼ talk about what you like and dislike
- ☼ talk about your family
- ☼ read about people from other countries and cultures

Look at the photos.

- Can you guess how these people might be related?
- Who do you think they are?
- What are they doing?

95

4

¿De quién es?

1. Describe the room in the photo.
2. Whose room do you think it is?
3. What kinds of things do you have in your room at home?

In this chapter you will learn to:

⚙ talk about your possessions
⚙ read about people from other countries and cultures

En mi cuarto hay una computadora y muchos libros.

PRIMERA ETAPA

Make a list of at least five things that you usually take to school.

¡A la escuela!

What do you bring to school? Pencils? Pens? Notebooks? Here are pictures of some common items you and your classmates might bring to school. Note that the **el** or **la** before each word means *the* in Spanish.

As your teacher says each word, listen, point to the picture, and repeat.

el borrador
el cuaderno
el libro
el lápiz
el sacapuntas
la mochila
el bolígrafo
la pluma
la cartera
la calculadora   la llave
el portafolio

¡Te toca a ti!

A. ¿Qué es? Identify the numbered objects. Follow the models.

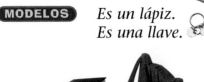

MODELOS *Es un lápiz.*
Es una llave.

1.   2.   3.   4.

5.   6.   7.   8.

B. No es... Look at the pictures in Activity A and then answer the questions below. Follow the model.

MODELO ¿Es un libro?
No es un libro. Es un lápiz.

1. ¿Es un bolígrafo?

2. ¿Es una cartera?

3. ¿Es un cuaderno?

4. ¿Es un lápiz?

5. ¿Es un sacapuntas?

6. ¿Es un borrador?

7. ¿Es un portafolio?

8. ¿Es una llave?

C. ¿Qué llevan a la escuela? Indicate what each person takes to school according to the pictures. Follow the model.

MODELO Juan
Juan lleva un libro a la escuela.

1. Julia   2. Jaime   3. tú   4. nosotros

5. yo   6. él   7. ella   8. Ud.

PRONUNCIACIÓN *p*

Práctica

D. Listen and repeat as your teacher says the following words.

1. papa	6. póster
2. política	7. pronto
3. pájaro	8. pluma
4. pintura	9. lápiz
5. problema	10. sacapuntas

¡A jugar con los sonidos!

Los profesores Pepe y Paco Prado ponen plumas, un despertador
y un sacapuntas en su portafolio.

Talking about people and things

To say *the* in Spanish, use the definite articles **el, la, los, las.**

	singular	**plural**
masculine	**el** libro	**los** libros
feminine	**la** mochila	**las** mochilas

1. There are four forms. Choose the form depending on whether the noun is masculine or feminine and singular or plural.

2. Use the definite article to say *the.*

Necesito **los** libros.	*I need the books.*
Aquí está **la** llave.	*Here is the key.*

3. Use the definite article to talk about something in general. Note that English doesn't use articles in this situation.

El café es una bebida popular aquí.	*Coffee is a popular drink here.* (that is, coffee in general)
Me gusta **la** música.	*I like music.* (that is, music in general)

4. Use the definite article when you talk *about* someone with a title like Mr., Doctor, or Professor. Notice you don't use the article when you're talking *to* that person.

El señor Herrera es ecuatoriano.	*Mr. Herrera is Ecuadorian.*
La señora Martínez lleva un libro a la escuela.	*Mrs. Martínez takes a book to school.*
Buenas tardes, **Señorita Díaz.**	*Good afternoon, Miss Díaz.*

Aquí practicamos

E. ¿Un o el? Replace the indefinite article with the appropriate definite article **(el, la, los, las)**. Follow the models.

MODELOS   un cuaderno   *el cuaderno*
          unos libros   *los libros*

1. un café

2. una estudiante

3. un sándwich

4. unas bebidas

5. un bolígrafo

6. unos refrescos

7. un jugo

8. una mochila

9. unos médicos

10. una cartera

F. ¿Qué necesitan? Read about the people and their activities in Column A of the chart. Then decide which items from Column B the people need. Follow the models to write your responses on your activity master. You may want to use some items from Column B more than once.

MODELOS   Yo quisiera leer.   *Tú necesitas un libro.*
          Tina va a casa.   *Ella necesita la llave.*

A	B
1. Ana estudia matemáticas.	bolígrafo(s)
2. Nosotros vamos a escribir.	calculadora(s)
3. Juan lleva muchos cuadernos a la escuela.	cuaderno
4. Miguel y María quisieran leer.	llave(s)
5. Tú vas a escribir *(write)* mucho con un lápiz.	libro(s)
6. Ustedes estudian mucho las matemáticas.	mochila
	sacapuntas

NOTA GRAMATICAL

Talking about possessions

To show that something belongs to someone, use **de.**

• To ask to whom a singular noun belongs, use **¿De quién es...?**
Use **¿De quién son...?** to ask to whom a plural noun belongs.

¿De quién es la pluma?   *Whose pen is it?*

¿De quién son las plumas?   *Whose pens are they?*

G. Es de...   After class one day, you and a friend notice that your classmates have left behind several of their belongings. You show these objects to your friend, and your friend identifies the owners. Follow the models.

> **MODELOS**   un libro (Beatriz)   *Es el libro de Beatriz.*
> unos libros (Juan)   *Son los libros de Juan.*

1. un cuaderno (Vicente)
2. una mochila (Marcos)
3. una calculadora (Bárbara)
4. una llave (Victoria)
5. unos bolígrafos (María)
6. unas llaves (Pedro)
7. unos cuadernos (José)
8. unos lápices (Juanita)

H. ¿De quién es...?   You are trying to figure out who owns some things that have been left in the classroom. Ask a question and have a classmate answer according to the model.

> **MODELO**   Carlos / lápiz
>
> **Estudiante 1:**   *¿De quién es el lápiz?*
> **Estudiante 2:**   *Es de Carlos.*

1. Enrique

2. Patricio

3. Miguel

4. Anita

5. Emilia

6. Mercedes

¿Qué piensas?

Look at the examples. What do you notice about word order in Spanish and word order in English?

el libro de Ana
  Ana's book

la calculadora de Juan
  Juan's calculator

los cuadernos de Marta
  Marta's notebooks

las llaves de Jorge
  Jorge's keys

I. Nuestras cosas Work with three or four classmates. Gather as many of the school items shown on page 98 as you can. Place them on a desk. Take turns holding up an item and asking to whom it belongs.

¿De quién es el libro?

Es de Eduardo.

Aquí escuchamos

¿Qué llevas a la escuela? Carmen describes her life as a student.

Antes de escuchar Think about items Carmen might take to school every day.

 A escuchar Listen twice to the cassette. Then indicate on your activity master the order in which you hear each item (1–7).

___ bolígrafo		___ cuadernos	
___ calculadora		___ libros	
___ cartera		___ mochila	
___ lápices			

Después de escuchar On your activity master, indicate how often **(todos los días/a veces)** Carmen takes to school each thing she mentions.

_____	bolígrafo
_____	calculadora
_____	cartera
_____	cuadernos
_____	libros
_____	mochila
_____	lápices

¡ADELANTE!

A. Yo llevo... Make a list in Spanish of five items that you usually take to school. Then interview your classmates to see who has the same items on their lists. How many matches can you find?

> **MODELO** **Estudiante 1:** *¿Llevas una calculadora a la escuela?*
> **Estudiante 2:** *Sí, llevo una calculadora. o No, no llevo una calculadora.*

B. ¿Qué llevas tú a la escuela? Write a short paragraph telling what you take to school. Mention...

1. something that you sometimes take. **(A veces...)**
2. something that you take every day. **(Todos los días [Siempre]...)**
3. something that you like to take. **(Me gusta llevar...)**
4. something that you do not like to take. **(No me gusta llevar...)**

For at least one of the items you mention, offer an explanation, for example, **Siempre llevo el libro de español porque estudio el español todos los días.**

1. In your mind, picture your room at home.
2. Make a list of at least eight objects you have in your room at home.

¿Qué hay en tu cuarto?

As your teacher says each item found in Marta's and Jorge's rooms, listen, point to the picture, and repeat.

Marta Gómez y Jorge de Vargas son **una muchacha** y **un muchacho** que son estudiantes en una escuela de Quito, Ecuador.

En el cuarto de Marta hay...

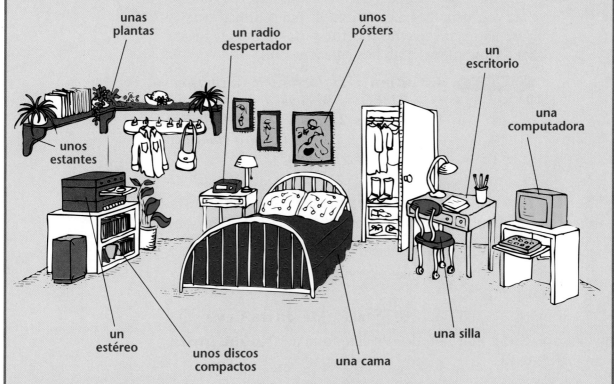

unas plantas

un radio despertador

unos pósters

un escritorio

una computadora

unos estantes

un estéreo

unos discos compactos

una cama

una silla

¿Qué hay en tu cuarto? *What is there in your room?* **Una muchacha** *a young woman*
un muchacho *a young man*

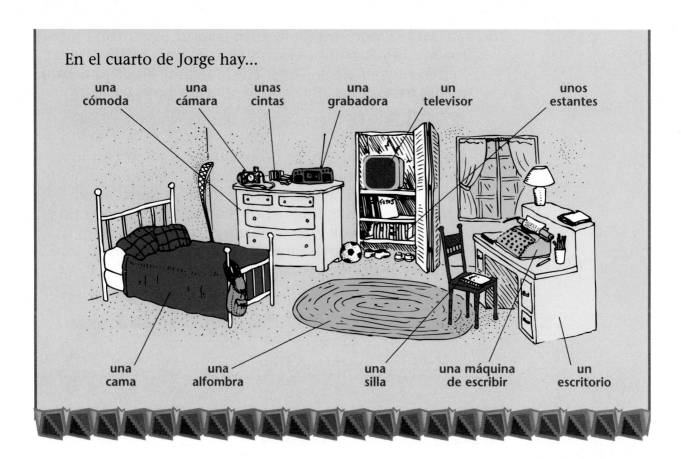

En el cuarto de Jorge hay...

una cómoda · una cámara · unas cintas · una grabadora · un televisor · unos estantes

una cama · una alfombra · una silla · una máquina de escribir · un escritorio

¡Te toca a ti!

A. ¿Dónde hay...? Based on the pictures, answer the following questions about Marta's and Jorge's rooms. Follow the models.

MODELOS   ¿un televisor?
En el cuarto de Jorge hay un televisor.

¿una cama?
En el cuarto de Marta hay una cama y en el cuarto de Jorge hay una cama también.

1. ¿una computadora?
2. ¿una grabadora?
3. ¿un radio despertador?
4. ¿una cama?
5. ¿un estéreo?
6. ¿unos pósters?
7. ¿una máquina de escribir?
8. ¿una cámara?
9. ¿unas cintas?
10. ¿unos discos compactos?
11. ¿unas plantas?
12. ¿unos estantes?
13. ¿una silla?
14. ¿una alfombra?

> **Para aprender**
>
> To help you remember the Spanish names for school supplies and things in your room, make labels in Spanish and glue or tape them on the items.

B. ¿Y tú? Work with a partner. Look at Marta's and Jorge's rooms. As you point to each item, tell your partner if that item is in your room. Note: The indefinite article **un, una, unos, unas** is usually omitted after **no hay....**

MODELO En mi cuarto hay una cama. No hay estéreo.

C. En mi cuarto. What do you think is important to have in your bedroom? With a partner, make a chart with three columns. Then rank all the items in Marta's and Jorge's rooms according to how important you think they are. Head your columns with **muy importante** (very important), **bastante importante** (pretty important), and **no muy importante** (not very important).

Muy importante	bastante importante	no muy importante
estéreo		

PRONUNCIACIÓN *t*

Práctica ◈◈◈◈◈◈◈◈◈◈◈◈

D. Listen and repeat as your teacher says the following words.

1. tú	6. tenis
2. tomo	7. tonto
3. tapas	8. política
4. taza	9. fútbol
5. tipo	10. cinta

¡A jugar con los sonidos!
Tito y Teresa Tardones tienen trece despertadores.

Aquí practicamos ◈◈◈◈◈◈

I. En la sala de clase *(In the classroom)*   Say whether each of the items listed below is or is not in your Spanish classroom.

> **MODELOS**   una computadora   *Hay una computadora.*
> unas grabadoras   *No hay grabadoras.*

1. unos pósters
2. una silla
3. unas cintas
4. una computadora
5. un televisor
6. un estéreo
7. unos libros
8. unos lápices
9. unos bolígrafos
10. un escritorio

J. Hay...   Working with another student, take turns pointing out five items in the room pictured below. Each of you should also say the name of one item that is not in the room. Follow the model.

> **MODELO**   *Hay una cama.*
> *No hay plantas.*

Aquí escuchamos

¿Qué hay en tu cuarto?   Miguel talks about some things he has in his room.

Antes de escuchar   Think about what you have in your room at home. Then, think about the things Miguel might have in his room.

A escuchar   Listen twice to the cassette before checking the mentioned items on your activity master.

Después de escuchar   Check off on your activity master the things that Miguel has in his room.

1. _____ cama
2. _____ cintas
3. _____ computadora
4. _____ discos compactos
5. _____ escritorio
6. _____ estantes

7. _____ estéreo
8. _____ grabadora
9. _____ plantas
10. _____ póster
11. _____ silla

¡ADELANTE!

A. ¿Qué hay?   Find out from several of your classmates what they have and do not have in their rooms at home. Then tell them what you have and do not have in your own room. Follow the model.

> **MODELOS**   **Estudiante 1:**   ¿Qué hay en tu cuarto?
> **Estudiante 2:**   En mi cuarto hay dos plantas, una cama...

B. Cosas importantes   A foreign exchange student has just arrived at your school. A couple with no children has agreed to host the student. They have asked for help in furnishing their guest's room appropriately for a teenager. With a partner, decide on the six most important items to include. Make a list in Spanish.

TERCERA ETAPA

1. Where do you live? In a house? An apartment? A condo? What about your friends and other family members? Make a list with the headings *house, apartment, condominium,* or *townhouse.* Under each heading, list one to three people you know who live in that kind of home.

2. Next to each name, list three interesting things that your friend or relative has at home.

3. What kinds of transportation do you take to go to school, the mall, or a friend's house? Do you go by car? By bus? By train?

En mi casa

Vivo en...

un apartamento

una casa

En mi casa *In my house*   **Vivo en...** *I live in...*

B. **Mi cuarto y mis actividades** Based on the models in activity B on page 115, draw pictures and write a description of your home, what you have in it, and how you travel when you go out. Also mention what you like to do with those things. Follow the model.

c

MODELO   *En mi cuarto hay un estéreo y muchos discos compactos. Mis discos compactos son de música rock. Me gusta escuchar música cuando estudio. Hay un teléfono también en mi cuarto. Me gusta mucho hablar con mis amigos. También me gusta visitar a mis amigos. A veces voy a casa de mis amigos en bicicleta.*

En mi cuarto hay muchas muñecas (dolls).

EN LÍNEA

Connect with the Spanish-speaking world! Access the *¡Ya verás! Gold* home page for Internet activities related to this chapter.

http://www.yaveras.heinle.com

VOCABULARIO

Para charlar

Para expresar posesión
¿De quién es...?
¿De quién son...?
Es (Son) de...
mi(s)
tu(s)
su(s)
nuestro(s)
nuestra(s)

Para contar
cero
uno
dos
tres
cuatro
cinco
seis
siete
ocho
nueve
diez
once
doce
trece
catorce
quince
dieciséis
diecisiete
dieciocho
diecinueve
veinte

Temas y contextos

En la escuela
un(a) alumno(a)
un bolígrafo
un borrador
una calculadora
una cartera
un cuaderno
un lápiz
un libro
una llave
una mochila
una pluma
un portafolio
un sacapuntas

Los medios de transporte
un autobús
una bicicleta
un coche
una motocicleta

Las viviendas
(Where we live)
un apartamento
una casa
un cuarto

En mi cuarto
una alfombra
una cama
una cámara
una cinta
una cómoda
una computadora
un disco compacto
un escritorio
un estante
un estéreo

una grabadora
una máquina de escribir
una planta
un póster
un radio despertador
una silla
un televisor (a colores)
un vídeo

Vocabulario general

Verbos
llevar

Artículos
el   un
la   una
los   unos
las   unas

Otras palabras y expresiones
allí
una cosa
¿Cuántos(as) hay?
¿Dónde hay...?
En mi cuarto hay...
éstos
más
Me llamo...
menos
la muchacha
el muchacho
Para ir al centro, voy en...
¿Qué hay en tu cuarto?
¿Qué llevas (tú) a la
    escuela?
telenovelas
Vivo en...

ENCUENTROS CULTURALES

El ciclismo

Reading Strategies

- pre-reading activities
- using visuals to predict content
- guessing from context
- extracting specific information

Antes de leer

1. What sports do you enjoy the most? The least?
2. Do you have a bicycle?
3. Are there bicycle clubs in your area? If so, do you belong to one?
4. Do you know of any bicycle races in the United States?

Your older brother is in the advanced Spanish class, and he just got a message from his e-mail pal. Your brother asks you to print it out and read it to him. Refer to the *Guía para la lectura* that follows to help you understand the message. You don't have to understand all of the words. Read once to get a general idea of the message. Then read again to concentrate on details.

Guía para la lectura

Here are some words and expressions to keep in mind as you read.

Caballo de acero	*name of a cycling club (literally, "iron horse")*
catarro	*common cold*
revista	*magazine*
correo electrónico	*e-mail*
competencia	*competition*
campeonatos	*championships*
entrenarme	*to train*

De: reinaroja@arols.com
Club de ciclismo **"Caballo de acero"**<pollovila@arols.com>

Para: Pedro Villar

Fecha: 5 de febrero 19... 11:50 AM

¡Hola, amigo mío!

¿Cómo estás? ¿Y tu hermano? Yo tengo un fuerte **catarro.** Te escribo por **correo electrónico,** desde mi cama. No tengo apetito. Sólo tomo té con limón y pan tostado.

Mientras tanto, mi bicicleta está en el garaje. Como sabes, me encanta el ciclismo — es muy popular aquí. Tenemos un club de ciclismo. Se llama "Caballo de acero."

Voy a enviarte un ejemplar de una **revista** de aquí. Contiene un artículo muy interesante sobre el ciclismo. El artículo tiene información sobre la "Vuelta a Colombia" de este año. Es una **competencia** muy importante para el ciclismo en Latinoamérica. La "Vuelta a México" es también muy importante. Además hay **campeonatos** en Ecuador, Uruguay y Argentina.

Para participar, tengo que **entrenarme** mucho. Pero estoy muy nerviosa. Tengo tanto trabajo de la escuela. No hay mucho tiempo para entrenarme bien este año.

Bueno amigo mío, te dejo. Hasta pronto.

Un abrazo de

Isabel, "La Reina Roja"

Después de leer

A. Preguntas

1. Where is Isabel's bicycle and why?

2. What are the two major cycling championships that Isabel mentions?

3. What is Isabel's opinion about these two events?

4. In which European country does the most famous bicycle race take place?

5. Is cycling a popular sport in the United States?

6. Make a list of some other sports that require a lot of training and practice.

B. Más información
Go to your school's media center or search the Internet and find information about cycling as a sport. Report your findings to the class.

5

Me gusta mucho...

Me gusta mucho la música.

1. What kinds of music do you like to listen to?

2. Have you ever listened to any groups from Spanish-speaking countries?

In this chapter you will learn to:

☼ talk about what you like and dislike

☼ get information about other people

• Which of the following topics interest you? Make a list of your likes and dislikes.

music   sports
animals   nature
school subjects (science, history, foreign languages, art, math)

Mis gustos

*Buenos días. Me llamo José. **Ésta** es Ana. Es mi **novia**, pero nuestros gustos son muy diferentes.*

José: No me gusta la música.
Ana: Me gusta la música.

José: Me gustan los animales.
Ana: No me gustan los animales.

Mis gustos *My likes*   **Ésta** *This*   **novia** *girlfriend*

José: Me gustan los **deportes.**
Ana: No me gustan los deportes.

José: Me gusta la **naturaleza.**
Ana: No me gusta la naturaleza.

José: No me gusta el arte.
Ana: Me gusta el arte.

José: Me gustan las **lenguas.**
Ana: No me gustan las lenguas.

José: No me gustan las **ciencias...** no me gusta la **química.**
Ana: Me gustan las ciencias... me gusta la química.

José: No me gusta la biología.
Ana: Me gusta la biología.

deportes *sports* **naturaleza** *nature* **lenguas** *languages* **ciencias** *science* **química** *chemistry*

Aquí practicamos

E. ¿Comprenden español? On a separate sheet of paper, write five sentences using different words from each column for each sentence.

MODELO *Nosotros compartimos un cuarto.*

A	B	C
Raúl	comer	en la cafetería
Teresa y Sara	vivir	en un apartamento
yo	comprender	español
nosotros	compartir	un cuarto
Uds.	leer	mucho correo electrónico (*e-mail*)
tú	correr	todos los días

F. ¿Qué haces? Work with a partner. Take turns asking each other if you do the following activities. Then report to the class.

MODELO escribir poemas

> **Estudiante 1:** *¿Escribes poemas?*
> **Estudiante 2:** *Sí, escribo poemas.* o *No, no escribo poemas.*
> **Estudiante 1:** *Héctor escribe poemas.* o *Héctor no escribe poemas.*

1. comer en el centro comercial *(mall)*
2. leer libros en español
3. vivir en un apartmento
4. correr todos los días
5. comprender todas las tareas
6. beber café
7. escribir mucho correo electrónico
8. compartir un cuarto

G. ¿Qué hacen? Tell what these people are doing.

1. Miguel

2. Rogelio y Lilia

3. Adela y Nívea

4. Leonor

5. nosotros

6. Antonio

Aquí escuchamos

¿Qué te gusta más? Carmen and José discuss their likes and dislikes.

Antes de escuchar Think about how Carmen and José might say that they like or don't like something.

A escuchar Listen twice to the conversation and pay attention to each person's preferences.

Después de escuchar Write down on your activity master what Carmen and José say they like and don't like. Write C or J in the appropriate column.

	👍	👎
animales		
básquetbol		
béisbol		
deportes		
fútbol americano		
música		
películas		
de aventura		
de ciencia ficción		
de horror		
tenis		

¡ADELANTE!

A. Yo me llamo... Work with a partner. Imagine this is your first day in an international school where the common language is Spanish.

1. Introduce yourself to your partner.
2. Say where you are from.
3. Ask his (her) name.
4. Ask your partner where he (she) is from.
5. Then tell at least three things you like or dislike.

B. Mi familia y yo Write a short paragraph about you and your family, or create an imaginary family and write about them.

1. Mention where you are from.
2. Say whether you live in a house or an apartment.
3. Name at least three things you like to do at home.
4. Tell how family members get to work or to school.

> **MODELO**
>
> *Mi familia y yo somos de Nueva York, pero vivimos en Pensilvania. Vivimos en una casa. En casa me gusta escuchar música en el estéreo y ver la televisión. Yo voy al centro de la ciudad en bicicleta, pero mis padres van al centro en coche.*

EN LÍNEA

Connect with the Spanish-speaking world! Access the *¡Ya verás! Gold* home page for Internet activities related to this chapter.

http://www.yaveras.heinle.com

VOCABULARIO

Temas y contextos

Los animales
el gato
el pájaro
el perro

El arte
la escultura
la pintura

Las ciencias
la biología
la química

Los deportes
el básquetbol
el béisbol
el fútbol
el fútbol americano
el tenis
el vólibol

La música
el jazz
la música clásica
la música rock

Las películas *(Movies)*
cómicas
de aventura
de ciencia ficción
de horror

Vocabulario general

Verbos
aprender
beber
compartir
comprender
correr
escribir
leer
recibir
vender
vivir

Otras palabras y expresiones
¡Claro!
Me gusta(n) más . . .
gustos
las lenguas
la naturaleza
una novia
la política
¿Qué te gusta más?

La agenda de Marisol

Antes de leer

1. Do you use a daily personal calendar? Does anyone in your family use one?
2. Scan the calendar page below to find at least five cognates.
3. What activities do you do after classes are over?
4. With whom do you spend time on weekends? What do you usually do?

Guía para la lectura

Here is a phrase to keep in mind as you read.

encontrarme con   to meet with

Comentarios CULTURALES

The **quinceañera** is a very important "coming of age" celebration for many Latin American young women as they turn 15. It is considered the official entry into adulthood, and usually includes a formal dance party and a fancy dinner.

L U N E S **20 de abril**	4:00	Clase de arte —Academia Sabrina. (¡Tengo una nueva profesora!)
M A R T E S **21 de abril**	4:00	Clase de tenis —Club el Frontón. A jugar con mi amigo Max.
M I É R C O L E S **22 de abril**	4:30	Cine Central —**encontrarme con** Sonia, Jochi y Gil. Vamos a ver la nueva película de Disney.
J U E V E S **23 de abril**	5:00	Café el Parisino —encontrarme con los amigos. Vamos a organizar la fiesta.
V I E R N E S **24 de abril**	9:00	¡Fiesta en casa de Jorge! ¡Todos los amigos y sus padres también!
S Á B A D O **25 de abril**	8:00	Quinceañera de Sandra en el Hotel El Conquistador.
D O M I N G O **26 de abril**	3:00	Discoteca Amazonas, matiné juvenil. ¡Bailar, bailar y bailar!

Después de leer

1. ¿Dónde es la clase de arte de Marisol? ¿Qué pasa el lunes?

2. ¿Dónde practica Marisol el tenis?

3. Y Sandra, ¿dónde celebra su cumpleaños?

4. ¿Y tú? ¿Participas en actividades como las de Marisol?

6

Ésta es mi familia.

1. There are many different kinds of families. Does the family in the picture look like a family you know?

2. Is it like your family?

Objectives

In this chapter you will learn to:

❂ talk about families

❂ get information about other people

Ésta es mi familia: mi madre, mi padre y mi abuela.

¡SIGAMOS ADELANTE!

Conversemos un rato

A. En la fiesta Work with a partner. Imagine that you are at a party.

1. Greet each other using any of the **saludos y respuestas** you learned in Capítulo 1. Find out your partner's first and last name.

2. Find out where your partner lives.

3. Ask your partner to describe his or her family. Ask how many brothers and sisters your partner has. What do your partner's family members do for a living?

4. Ask if there are dogs or cats at home. Find out their names.

B. **Un diálogo de contrarios** Review pages 126–127 and pages 137–138. Then with a classmate, act out the following scenario.

Imagine your family is hosting an exchange student from Bolivia. Discuss likes and dislikes with the exchange student.

1. Greet each other and identify yourselves. Shake hands.
2. Offer your new friend some snacks. Your friend declines politely.
3. Express different opinions about each of the following:
   - the kinds of movies you like
   - the sports you watch
   - your favorite school subjects
   - what pets you like

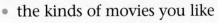
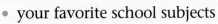
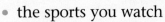
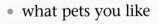

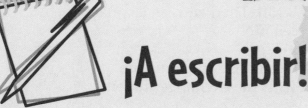

¡A escribir!

MODELO Mi cuarto es pequeño y bonito. Mi cuarto tiene una ventana grande. En mi cuarto hay muchas cosas. Hay un estéreo, una computadora y toda mi ropa. También hay una cama, un escritorio y un estante con mis libros...

Reading Strategies

- making lists
- describing with visuals

Writing a paragraph

A. Para escribir a un(a) amigo(a) por correspondencia

You are going to write a short paragraph to a pen pal or e-mail pal. In this paragraph, you will describe your room at home, or any other room you like. You may even describe an imaginary room.

1. **Reflexión** Choose the room you want to describe. Make a list of as many details about this room as you can. Next, narrow your list to a few special details.
2. **Primer borrador** Write a first draft of the paragraph.
3. **Revisión con un(a) compañero(a)** Exchange paragraphs with a classmate. Read each other's paper. Use the following questions as a guide to give each other suggestions for improvement.

   - What part of the description is the most interesting?
   - What part of the room can you visualize most easily?
   - Do you think the paragraph is a good one to send to a pen pal?
   - Is there a part of the paragraph that needs more explanation?

4. **Versión final** Think over your classmate's suggestions about your paragraph. Rewrite your first draft based on these suggestions. Remember to check for correct grammar, spelling, punctuation, and accent marks.
5. **Carpeta** You may choose to place your work in your portfolio. Your teacher may want to discuss it with you as a way of evaluating your progress. Examples of the letters written by you and your classmates may be displayed on a bulletin board.

B. El cuarto de mi amigo(a)   Your pen pal has sent you this picture of his (her) bedroom. You want to show it to your friends, but you forgot to take the photograph to school. Describe it in as much detail as possible.

C. Un póster   Design a poster showing your ideal room (it doesn't have to be a bedroom). You may draw an illustration or use pictures cut out of magazines or catalogues. This room can have in it anything you want! Label the objects and items in the room in Spanish. Finally, write a brief paragraph describing the room. Use the following steps to writing the paragraph: **primer borrador, revisión,** and **versión final.**

Conexión con las ciencias sociales y las matemáticas

Las familias de hoy

Hay muchos tipos de familias hoy en día. Algunas familias son grandes y otras son pequeñas. Nuestra sociedad es interesante y diversa.

A. ¿Con quién vives?   Look at the following list of relatives who might make up a family.

madre	primo	hijo
padre	prima	hija
hermano	padastro	sobrino
hermana	madastra	sobrina
abuelo	hermanastro	cuñado
abuela	hermanastra	cuñada
tío	tutor	
tía	tutora	

1. ¿Entiendes todas las palabras?

2. Escribe los nombres de los parientes que viven contigo.

3. Escribe cuántos hermanos, abuelos, tíos, etc. hay en tu familia.

4. Completa: **Hay ____ (*número*) personas en mi familia.**

Tipos de familias

La familia nuclear   En esta familia, hay una pareja casada que vive con su(s) hijo(s) o hijastro(s). La familia nuclear es el tipo de familia más común en el mundo.

La familia extendida   En esta familia, hay otros parientes que viven con la pareja casada y su(s) hijo(s) o hijastro(s). En Latinoamérica y en otras partes del mundo, todavía hay muchas familias extendidas.

La familia monoparental En esta familia, sólo hay una madre o un padre que vive con su(s) hijo(s) o hijastro(s). No hay dos padres. A veces la madre o el padre está divorciado(a) o es viudo(a).

B. ¿Qué tipo de familia es? The following chart lists some people and descriptions of their families. Copy it on a separate sheet of paper. Then complete it with the kinds of families that these people have. The first one is done for you.

persona	vive con	tipo de familia
Carmen	su madre y padre, sus hermanos y hermanas	*nuclear*
Luis	sus abuelos, padres y hermanos	
Elena	su esposo y su hijo	
Carlos	su hijo	
Mónica	su hijo y sus dos hijas	
yo	¿?	

C. ¿Cierto o falso? Indicate whether these statements, based on the following chart, are true **(cierto)** or false **(falso).** Correct false statements.

1. Hay información sobre personas solteras (single).

2. Hay información sobre familias extendidas.

3. El 12% de las personas vive con la madre, pero no con el padre.

4. El 15% de las personas vive en familias monoparentales.

5. La sección azul *(blue)* representa las familias nucleares.

FAMILIAS EN LOS ESTADOS UNIDOS

Familias con una pareja de padres: 55%

Familias con sólo una madre: 12%

Familias con sólo un padre: 3%

Otros: 4%

Personas que viven solas: 25%

D. Entrevistas Interview eight or nine of your schoolmates about which type of family they have: nuclear, extendida, or monoparental. Report your findings as a pie chart or graph.

---

sociedad *society* sobrino(a) *nephew (niece)* cuñado(a) *brother-in-law (sister-in-law)* hijastros *stepchildren* parientes *relatives* parientes políticos *relatives by marriage (in-laws)* sólo *(only)* viudo(a) *widower (widow)* tutor(a) *guardian*

Vistas
de los países hispanos

Ecuador

Ecuador is a country in the northwestern part of South America. It is about the size of the state of Nevada. Even though Ecuador is small, more species of animals live here than in almost any other country on Earth. Some of the tropical rainforests of Ecuador are so thick that you can't get through them!

Ecuador
★

Chile

Chile is a long, narrow country which extends along the southwestern coast of South America. Chile is so long that there is a lot of variety in climate. There are deserts in the north, icebergs in the south, and beaches in between! Chile is also located in one of the biggest earthquake areas of the world. Many animals such as vicunas, flamingos, and penguins are protected in the national parks of Chile.

Chile

EXPLORA

Find out more about Ecuador and Chile!

Access the **Nuestros vecinos** page on the *¡Ya verás! Gold* web site for a list of URLs.

http://www.yaveras.heinle.com/vecinos.htm

En la comunidad

¡Programa tu carrera!

"My name is Adam Weiss. The summer of my junior year in high school, I took three years of high school Spanish and one big bag and went to Madrid on a cultural exchange. A month later, I brought home a passion for languages and a lifelong friendship with a Spanish family. It was exciting to actually use a foreign language!

A background in Spanish and computer science turned out to be a requirement for my first job. Now I work as an international software engineer at a company that creates voice recognition software. If you want to talk to your computer in Spanish or in other European languages and have it do your typing for you, you'll use our software. Although my primary responsibility is programming, I've also traveled to Mexico and South America for trade shows to show off our products. I also collect voice and accent samples for our programs so they can recognize varying ways to pronounce the same words. My career has been a lot more interesting because I've learned Spanish!"

¡Ahora te toca a ti!

1. Adam's cultural exchange led to "a passion for languages and a lifelong friendship with a Spanish family." Why do you think he enjoyed the exchange program so much? Do you think that spending time in Spain improved his Spanish? Why?

2. If you have visited a Spanish-speaking country, prepare a short presentation in Spanish about your experiences. If possible, bring photographs to class to help you describe the country as well as the people you met there. If you haven't traveled to a Spanish-speaking country, interview someone who has. Be prepared to share with your classmates what you find out.

3. Imagine that you're going on a cultural exchange program to a Spanish-speaking country. In the library or via the Internet, research places you would like to visit and choose a destination. Be prepared to discuss with your classmates why you want to visit that particular country.

Objectives

In this unit you will learn to:

- talk about:
  - places in a city
  - places you like to go
  - how old you are
  - how you feel
- ask for and give directions
- give commands and suggest activities
- tell time

¿Qué ves?

❂ What are some public buildings and stores that you go to in your area? Pharmacies? Banks? Libraries?

❂ Can you guess what the buildings you see in the pictures are?

CAPÍTULO **7** **¿Adónde** **vamos?**	Primera etapa: Segunda etapa: Tercera etapa:	Los edificios públicos ¿Quieres ir al cine? Las tiendas
CAPÍTULO **8** **¿Dónde** **está...?**	Primera etapa: Segunda etapa:	¿Está lejos de aquí? ¿Cómo llego a...?
CAPÍTULO **9** **¡La fiesta** **del pueblo!**	Primera etapa: Segunda etapa:	¿A qué hora son los bailes folklóricos? ¿Cómo están Uds.?

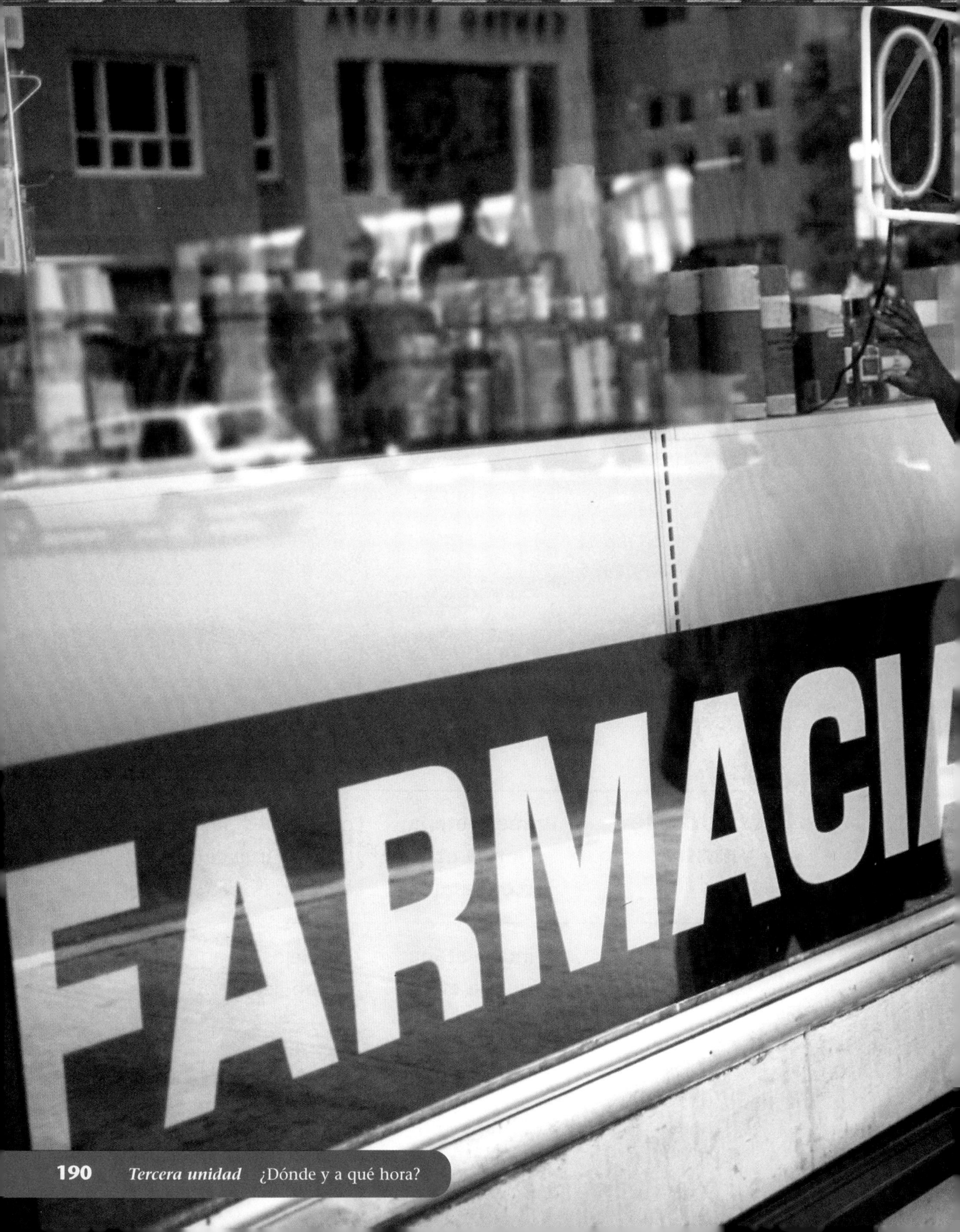
FARMACIA

¿Adónde vamos?

Where do you and your family shop?

Objectives

In this chapter you will learn to talk about:

- ☼ places in a city
- ☼ public buildings and stores

José Rivas va a la farmacia.

1. What is the difference between a store and a mall?

2. List five different kinds of stores you might find in a town near where you live.

3. Would you rather shop in a small store or in a department store? Why?

Las tiendas

En nuestra ciudad hay muchas **tiendas** *(stores).*

carnicería *butcher shop*   **panadería** *bakery*
librería *bookstore*   **florería** *flower shop*
farmacia *drugstore*

De vez en cuando voy a la...

Comentarios CULTURALES

Las tiendas

In many parts of the Spanish-speaking world, small stores are more common than large supermarkets. These are called specialty shops and the name of the shop is based on the name of the main item sold. For example, **pan** is sold in a **panadería; flores** are sold at a **florería**, and **carne** is sold in a **carnicería**.

¡Te toca a ti!

A. **¿Qué es?**   Identify each of the following buildings or places.

1.

2.

3.

4.

5.

6.

B. ¿Hay un banco por aquí? Work with a partner. You ask a passerby (your partner) whether there are certain places nearby. Your partner will tell you the street where you can find each place. After number 3, switch roles.

MODELO   ¿banco? / en la calle Alcalá

> **Estudiante 1:** *Perdón, señorita (señor). ¿Hay un banco por aquí?*
> **Estudiante 2:** *Sí, hay un banco en la calle Alcalá.*

1. ¿farmacia? / en la avenida Libertad
2. ¿hotel? / en la calle Perú
3. ¿librería? / en la calle Mayor
4. ¿panadería? / en la avenida Independencia
5. ¿florería? / en la avenida Colón
6. ¿carnicería? / en la Plaza del Sol

C. ¿Adónde vamos primero? Work with a partner. You and he (she) have errands to do, but you can't decide what to do first. Take turns asking questions.

Vocabulario útil	
primero *first*	**luego** *then*

MODELO   banco / librería

> **Estudiante 1:** *¿Adónde vamos primero? ¿Al banco?*
> **Estudiante 2:** *No, primero vamos a la librería. Luego vamos al banco.*
> *o: Sí, vamos al banco primero y luego a la librería.*

1. carnicería / mercado
2. librería / florería
3. museo / banco
4. farmacia / ¿?
5. hotel / ¿?
6. biblioteca / ¿?

Práctica

D. Listen and repeat as your teacher models the following words.

1. Juan
2. trabajo
3. julio
4. jueves

5. jugar
6. tarjeta
7. geografía

8. biología
9. general
10. Jorge

¡A jugar con los sonidos!

Un consejo para los gemelos Julio y Jorge al jugar con el jabón y la esponja: ¡Cuidado juguetones! ¡A protegerse los ojos!

E. Los padres de tus amigos   Your parent is curious about your friends' parents. In sentences, write where they work and where they go when they're not working.

> **MODELO**   el padre de Cristina (hospital / biblioteca)
>
> *El padre de Cristina trabaja en el hospital. Va a la biblioteca a menudo.*

1. el padre de Roberto (estación de trenes / cine)
2. la madre de Isabel (universidad / parque)
3. el padre de Vicente (oficina de correos / museo)
4. la madre de Marilú (restaurante / mercado)
5. el padre de Josefina (biblioteca / librería)

F. **¿Con qué frecuencia?** Write five sentences telling how often you do the activities listed. Use words and phrases from both columns.

MODELO escuchar la radio
Escucho la radio todos los días.

ir al cine	siempre
ir a una librería	todos los días
viajar en tren	a veces
bailar en una discoteca	rara vez
correr en el parque	nunca
practicar el español	a menudo
estudiar en la biblioteca	de vez en cuando
hablar con amigos en el colegio	

Comentarios CULTURALES

Las direcciones y los teléfonos

When you give an address (**una dirección**) in Spanish, you usually say the name of the street first, and then the street number (**calle Flores, 25**). When the number is more than a hundred, you usually say it as a set of two numbers. So, the number in **avenida Bolívar, 1827** would be said as **dieciocho, veintisiete.** Phone numbers are also usually grouped in sets of two. For example, the number 925–6534 would be read as **nueve, veinticinco, sesenta y cinco, treinta y cuatro.**

PALABRAS ÚTILES

Counting from 20 to 100

20 **veinte**	27 **veintisiete**	50 **cincuenta**
21 **veintiuno**	28 **veintiocho**	60 **sesenta**
22 **veintidós**	29 **veintinueve**	70 **setenta**
23 **veintitrés**	30 **treinta**	80 **ochenta**
24 **veinticuatro**	31 **treinta y uno**	90 **noventa**
25 **veinticinco**	32 **treinta y dos**	100 **cien**
26 **veintiséis**	40 **cuarenta**	

Aquí practicamos

G. Cuenta tú   Give the numbers for each of the following.

1. Cuenta (*Count*) del 0 al 30, y luego del 30 al 0.

2. Cuenta del 20 al 100 de cinco en cinco.

3. Cuenta los números pares (*even*) del 0 al 100.

4. Cuenta los números impares (*odd*) del 1 al 99.

5. Cuenta de diez en diez del 0 al 100.

H. Un poco de matemáticas   Work with a partner.
Take turns giving the next three numbers in the following
sequences.

> **MODELO**   20, 22, 24...
>
> *Veintiséis, veintiocho, treinta.*

1. 30, 33, 36...	4. 41, 45, 49...
2. 60, 65, 70...	5. 20, 30, 40...
3. 90, 80, 70...	6. 12, 24, 36...

I. **¿Qué número es?** Work with a partner. Read aloud the phone numbers below. Practice them until you can read them quickly and accurately.

1. 825–5978
2. 654–6783
3. 222–5160
4. 382–6791

5. 943–5690
6. 537–4087
7. 795–4670
8. 497–5530

PALABRAS ÚTILES

Asking and telling how old someone is

To ask and tell someone's age in Spanish, use **tener.**

—**¿Cuántos años tienes?**   *How old are you?*

—**Tengo catorce años.**   *I am fourteen years old.*

—**¿Cuántos años tiene tu hermana?**   *How old is your sister?*

—**Tiene cuatro años.**   *She's four.*

Saying you're hungry or thirsty

To say you or someone else is hungry use a form of **tener hambre.** To say you're thirsty use a form of **tener sed.**

—**Tengo hambre.** ¿Y tú?   *I'm hungry. And you?*

—No, **yo no tengo hambre,** pero sí **tengo mucha sed.**   *No, I'm not hungry, but I am very thirsty.*

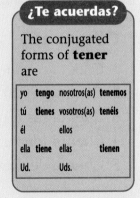

¿Te acuerdas?

The conjugated forms of **tener** are

yo	tengo	nosotros(as)	tenemos
tú	tienes	vosotros(as)	tenéis
él		ellos	
ella	tiene	ellas	tienen
Ud.		Uds.	

Aquí practicamos

J. ¿Cuántos años tienes? Work with a classmate. Take turns asking how old the following people are.

> **MODELO** **Estudiante 1:** *¿Cuántos años tiene Felipe? (13)*
> **Estudiante 2:** *Felipe tiene trece años.*

1. ¿Cuántos años tiene Carmelita? (17)

2. Y el señor Ramos, ¿cuántos años tiene? (64)

3. ¿Cuántos años tiene Ana María? (20)

4. ¿Cuántos años tiene Roberto? (12)

5. ¿Cuántos años tiene don Alberto? (82)

6. Y doña Ester, ¿cuántos años tiene? (55)

B. Entrevista Circulate about the class to find out the information (name, age, address, and phone number) of three of your classmates. Take notes on the chart in your activity master. Then be prepared to report your findings to the class.

Nombre de mi amigo(a)	Su edad	dirección	Su teléfono
Carlos	16 (dieciséis) años	calle Central 25 (veinticinco)	845-3370 (ocho, cuarenta y cinco, treinta y tres, setenta)

EN LÎNEA

Connect with the Spanish-speaking world! Access the **¡Ya verás!** Gold home page for Internet activities related to this chapter.

http://www.yaveras.heinle.com

VOCABULARIO

Para charlar

Para contestar el teléfono
¡Bueno!
¡Diga! / ¡Dígame!
¡Hola!

Para preguntar la edad
(*Asking someone's age*)
¿Cuántos años tienes?

Para contar
veinte
veintiuno
veintidós
veintitrés
veinticuatro
veinticinco
veintiséis
veintisiete
veintiocho
veintinueve
treinta
treinta y uno
treinta y dos
cuarenta
cincuenta
sesenta
setenta
ochenta
noventa
cien

Temas y contextos

Los edificios y los lugares públicos
(*Public buildings and places*)
un aeropuerto
un banco
una biblioteca
una catedral
un cine
un club
un colegio
una discoteca
una escuela secundaria
una estación de autobuses
una estación de policía
una estación de trenes
un estadio
un hospital
un hotel
una iglesia
un museo
una oficina de correos
un parque
una piscina
una plaza
un teatro
una universidad

Las tiendas
(*Shops*)
una carnicería
una farmacia
una florería
una librería
un mercado
una panadería

Vocabulario general

Verbos
ir
querer (ie)
preferir (ie)

¿Con qué frecuencia?
a menudo
de vez en cuando
rara vez
nunca

Otras palabras y expresiones
¿Adónde vamos?
al
cerca de aquí
una dirección
en otra oportunidad
esta noche
llamar a
Lo siento.
¿Quieres venir?
la tarde
tener hambre
tener sed

La Pequeña Habana

Antes de leer

1. Are there Spanish-speaking people in your area?

2. Do you know of any cities in the United States that have large numbers of Spanish-speaking people?

3. Look at the map on p. xiv and locate the capital of Cuba.

4. Scan the reading. It mentions a city in the United States. Which city is mentioned?

Guía para la lectura

Here are some words and expressions to help you as you read.

corazón	*heart*
cafetines	*small coffee shops*

La Pequeña Habana es un barrio de la ciudad de Miami. Allí viven muchos cubanos. Llegaron de Cuba porque no desearon vivir bajo el sistema político de Fidel Castro en Cuba. Esta área es un centro social para los cubanos y para numerosas personas de otros países de habla hispana también.

La Pequeña Habana atrae muchos turistas. Allí la cultura cubana sigue viva en su comida, sus fiestas y su artesanía. El **corazón** cubano y la imagen de Cuba están presentes en todas partes de la Pequeña Habana. Están en los **cafetines**, las calles, en el sonido de los dominós, la música y las radios.

En la Pequeña Habana, el corazón cubano está presente en los cafetines y en el sonido de los dominós.

Después de leer

1. In what city and state is **la Pequeña Habana** located? Find it on a map of the United States.

2. Why do you think this area is important for people of Spanish-speaking countries other than Cuba?

3. Make a list of the ways in which Cuban culture exists in **la Pequeña Habana.**

4. Now list the places mentioned in the reading where you can see and hear these indications of Cuban culture.

Un poco más

1. With two classmates, talk about why it is important for people who come from other countries to continue their own traditions such as art, music, and ethnic foods.

2. If possible, interview someone in your school or community who came from another country and find out how he or she continues the traditions of the native culture. Report your information to your class.

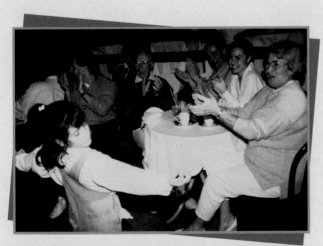

La cultura cubana sigue viva en su comida y su música.

¿Dónde está...?

What are some phrases you use to ask for directions in English?

Objectives

In this chapter you will learn to:

- ask for and give directions
- give commands

—¿Dónde está el Museo de Arte?
—Está al final de la avenida Libertad.

Capítulo 8   ¿Dónde está. . . ?   **223**

PRIMERA ETAPA

¿Está lejos de aquí?

1. How do you find your way around a new place? Have you ever used a map?

2. Have you ever asked for directions in a new place? What do you ask? What do you usually want to find out?

3. If a visitor to your school asked you how to get from the office to your classroom, what information would you give?

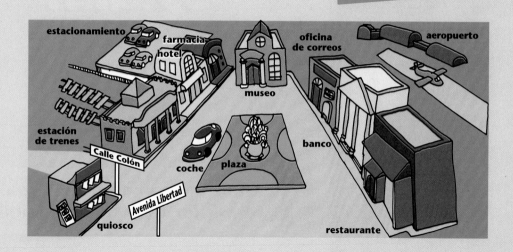

El aeropuerto está **lejos de** la ciudad.
La estación de trenes está **cerca del** hotel.
La oficina de correos está **frente al** hotel.
La farmacia está **al lado del** hotel.
El museo está **al final de** la avenida Libertad.
El **quiosco de periódicos** está **en la esquina de** la calle Colón y la avenida Libertad.
El coche de Mario está en un **estacionamiento detrás del** hotel.
El coche de Teresa está en la avenida **delante del** banco.
El banco está **entre** el restaurante y la oficina de correos.

¡Te toca a ti!

A. En la ciudad
Work with a partner. Take turns asking questions about the town pictured on page 224. Choose the best option of the choices given.

MODELO **Estudiante 1:** *¿Dónde está la estación de trenes? (cerca del hotel / al lado de la farmacia)*
Estudiante 2: *Está cerca del hotel.*

1. ¿Dónde está el hotel? (enfrente de la oficina de correos / cerca del aeropuerto)

2. ¿Dónde está el banco? (detrás del hotel / entre el restaurante y la oficina de correos)

3. ¿Dónde está la oficina de correos? (al lado del banco / delante del restaurante)

4. ¿Dónde está la farmacia? (al lado del hotel / lejos de la ciudad)

5. ¿Dónde está la estación de trenes? (frente a la farmacia / cerca del hotel)

6. ¿Dónde está el restaurante? (al lado del banco / frente al aeropuerto)

B. ¿Dónde están?
Look at the town on page 224. Complete the statements below by telling where each place is located. Use the following expressions.

lejos de	delante de	entre
frente a	al lado de	al final de
cerca de	en la esquina de	

MODELO *El aeropuerto está ___ la ciudad.*
El aeropuerto está lejos de la ciudad.

1. El restaurante está ___ el banco.

2. La estación de trenes está ___ el museo.

3. El quiosco de periódicos está ___ la avenida Libertad y la calle Colón.

4. El museo está ___ la avenida Libertad.

5. El coche de Teresa está ___ la estacíon de trenes.

1. What things do people say to ask for directions?

2. What things do people say when they give directions?

¿Cómo llego a...?

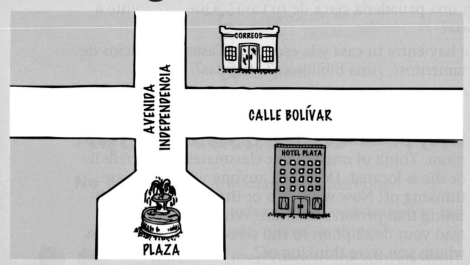

Una señora busca la oficina de correos.

Señora: Perdón, señor. ¿Hay una oficina de correos cerca de aquí?

Señor: Sí, señora. En la calle Bolívar.

Señora: **¿Cómo llego a** la calle Bolívar, por favor?

Señor: Mm..., **cruce** la plaza y **tome** la avenida Independencia, **siga derecho por** Independencia **hasta** llegar a la calle Bolívar. **Doble a la derecha.** La oficina de correos está **a la izquierda,** frente al Hotel Plata.

Señora: Muchas gracias.

Señor: De nada.

¿Cómo llego a...? *How do I get to...?*   **cruce** *cross*   **tome** *take*   **siga derecho por** *go, continue straight along*
hasta *until*   **Doble a la derecha.** *Turn right.*   **a la izquierda** *on the left*

¡Viva el español!

Spanish is the fourth most widely spoken language in the world. It is spoken by more than 400 million people in Spain, the Americas, and in other areas of the world that were once Spanish colonies. Spanish is also the most spoken and studied foreign language in the United States. **¡Olé!**

¡Te toca a ti!

A. Direcciones   Work with a partner. Take turns giving and following these directions. Did you go where you were told to go?

1. Siga derecho hasta la pizarra.

2. Doble a la derecha en el escritorio del profesor.

3. Doble a la izquierda en la puerta.

4. Cruce el pasillo (*hallway*).

B. Cómo llegar   Work with a partner. Ask your partner to look at the map on page 232 and put his (her) finger on **la plaza.** Then give the following directions. Your partner will "walk" his (her) fingers to the destination. Next, change places. Your partner will tell you where to "walk" your fingers.

1. Tome la avenida Independencia.

2. Siga derecho hasta la esquina.

3. Doble a la derecha a la calle Bolívar.

4. Cruce la calle Bolívar.

5. ¿Dónde estás?

¡ADELANTE!

A. Vamos a la escuela   Explain to one of your classmates how you get from your home to your school.

1. Give specific directions, including street names and turns.

2. Name at least three buildings that you pass on the way.

B. Para ir a la Plaza Mayor

1. Imagine that you and a friend have just arrived in Madrid, Spain. Look at the map on page 234 and find the red circle marking where you are (**Puerta del Sol**).

2. You are headed to **la Plaza Mayor** and your friend is meeting family in front of **el Teatro Real.**

3 Decide the best way to get to your destinations. Together, write down specific directions.

EN LÎNEA

Connect with the
Spanish-speaking world!
Access the *¡Ya verás! Gold* home page for
Internet activities related to this chapter.

http://www.yaveras.heinle.com

VOCABULARIO

Para charlar

Para dar direcciones
(*Giving directions*)
Cruce la calle.
Doble a la derecha (a la izquierda).
Está al final de…
Está al lado de…
Está cerca de…
Está delante de…
Está detrás de…
Está en la esquina de…
Está entre…
Está frente a…
Está lejos de…
Tome la calle (la avenida)…
Siga derecho por… hasta…

Para pedir direcciones
 (*Asking for directions*)
¿Cómo llego a…?
¿Dónde está…?
¿Está cerca (lejos) de aquí?
¿Está lejos de aquí?

Vocabulario general

Sustantivos (*Nouns*)
un estacionamiento
un quiosco de periódicos

Verbos
buscar
cruzar
doblar
estar
llegar

Otras palabras y expresiones
ayuda
del
Sea Ud…
Sean Ud…
Vaya Ud…
Vayan Ud…

ENCUENTROS CULTURALES

El centro colonial de Quito

Antes de leer

Reading Strategies

- pre-reading activities
- skimming
- scanning
- comprehension checks

1. Are you familiar with any historic sites or tourist attractions in your city or town?

2. Look at the map on p. xiv. Find Ecuador and its capital city.

3. According to the title, what will this reading be about?

4. Scan the reading for cognates and other words that resemble a word in English.

5. Now, read through the selection more carefully, remember, you do not have to understand every word. Read to get as much information as you can.

Guía para la lectura

Here are some words and expressions to keep in mind as you read.

angostas
narrow
de piedra
stone, cobbled
restaurada
restored

La Plaza de la Independencia

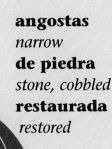

Quito es la capital de Ecuador. Si vas a Quito, visita el viejo centro colonial y la Plaza de la Independencia. Al lado oeste de la Plaza está el Palacio del Gobierno original. Hoy es en parte un museo. Al lado sur está La Compañía —la catedral original. Al lado norte, hay un hotel con un buen café. Al lado este, hay tiendas y restaurantes.

Cerca de la plaza hay muchos museos e iglesias llenas de arte. Vas a encontrar calles **angostas de piedra.** Allí hay arquitectura con más de 500 años. Esta área ha sido **restaurada.** ¡El viejo centro colonial de Quito es tan interesante!

Después de leer

1. Working with a partner, talk about what you would see in each direction from the **Plaza de la Independencia.**

2. Draw a diagram of the plaza, label the directions and write the names of the buildings that are located on each side of the plaza.

La Compañia

9

¡La fiesta del pueblo!

¡Bienvenidos a la fiesta del pueblo!

Name some holidays that are celebrated in your area. How are they celebrated? With parades? Dances? Fireworks?

Objectives

In this chapter you will learn to:

- ☺ talk about recreational activities
- ☺ make plans
- ☺ tell and ask the time

1. Do you enjoy getting together with others to celebrate holidays? What do you like to do?

2. Have you or has anyone you know ever celebrated a holiday in another country? Where? What was it like?

¿A qué hora son los bailes folklóricos?

En Guatemala la gente se prepara para la fiesta del Día de la Independencia.

Octavio García vive en Guatemala. Como en todas las ciudades y pueblos hispanos, la Ciudad de Guatemala tiene una gran fiesta anual. En Guatemala celebran el Día de la Independencia el 15 de septiembre. Octavio mira el anuncio de los programas para el festival.

Día de la Independencia
Ciudad de Guatemala

10:30	**Misa** en la Catedral
12:00	Feria de la comida
13:30	Bailes folklóricos en la Plaza Mayor
14:45	**Concurso de poesía**
16:30	**Desfile** de las escuelas
19:00	Banquete en el Club Independencia
21:00	**Fuegos artificiales** en el Parque Nacional
22:00	Baile popular (Parque Nacional)

Misa *Mass*   **Concurso de poesía** *Poetry contest*   **Desfile** *Parade*   **Fuegos artificiales** *Fireworks*

La fiesta del pueblo

Most towns in the Spanish-speaking world have at least one big celebration each year. There are religious festivals in honor of the patron saint of each town, celebrations for the coming of spring and harvest, grape-pressing festivals, and others. The festivals often begin with a religious ceremony. In the evening, there are parties with dancing, lots of food, and sometimes fireworks.

¡Te toca a ti!

A. El Día de la Independencia Elena is planning her activities for the day of her town's festival. Complete her plans according to the information on the poster on page 246. Choose from the following words.

banquete	concurso de poesía	desfile
fuegos artificiales	baile	club
folklóricos	Plaza	misa

Primero voy a la catedral para escuchar _____ (1). Luego voy a comer en la casa de Adela. Después de comer, Adela y yo vamos a ver los bailes _____ (2) en la _____ (3) Mayor. Adela va a leer su poema en el _____ (4). No vamos a ver el _____ (5) de las escuelas porque va a ser muy largo. Tampoco vamos a ir al _____ (6) en el _____ (7) Independencia, porque es muy caro (¡$$$!). Por la noche, vamos a ver los _____ (8) en el Parque Nacional, y luego vamos al _____ (9) popular. ¡Qué emoción!

¡ADELANTE!

A. En la fiesta del pueblo   Work with two other classmates. Imagine that your class is in Guatemala for the annual **Día de la Independencia.** Look at the poster on page 246.

1. Choose three events each of you would like to attend.

2. Agree on one event on each person's list that you will attend together.

3. Determine what time each event begins and how long you will be at the **fiesta.** Be prepared to report your plans to the class.

B. ¡Bienvenidos!   Imagine that a group of Spanish-speaking tourists is coming to visit your area for the Fourth of July. Prepare a schedule of events for an entire day and evening as well as the times they will take place. You can use the schedule on page 246 as a model.

What is your favorite holiday? Why?

¿Cómo están Uds.?

*Hay muchas actividades **para ver** (to see) durante la fiesta del pueblo.*

Ana: Entonces, ¿adónde vamos **ahora**? ¿Hay más actividades?

Julia: **Por supuesto**, pero estoy muy **cansada**. Quisiera **descansar** por una hora.

Miguel: Pues, yo estoy muy bien. Estoy **listo** para continuar la fiesta.

Consuelo: Ahora es el concurso de poesía. Yo quiero ver quién gana el premio.

Julia: Bueno, vayan Uds.

Ana: Muy bien. ¿Dónde **nos encontramos**?

Miguel: Delante del cine Odeón en la avenida Los Andes.

Julia: **De acuerdo**. ¡Hasta luego!

---

ahora *now* **Por supuesto** *Of course* **cansada** *tired* **descansar** *rest* **listo** *ready*
nos encontramos *we meet* **De acuerdo** *OK*

¡Te toca a ti! ✦✦✦✦✦✦✦✦

A. ¡De acuerdo!   Work with a partner. With the Spanish Club, you both are planning to attend the **fiesta del pueblo** in Guatemala City. Ask your partner what he (she) wants to do at the festival. Will you agree or not? To disagree say **No, prefiero....** and tell what you prefer to do.

> **MODELO**   ir al desfile
>
> **Estudiante 1:** *¿Adónde vamos?*
> **Estudiante 2:** *Vamos al desfile.*
> **Estudiante 1:** *De acuerdo. ¡Buena idea!* o: *No, prefiero ir al banquete.*

1. ir a la feria de las comidas regionales`
2. ir a mirar los fuegos artificiales
3. ir a ver los bailes folklóricos
4. ir al banquete
5. ir al baile popular

B. ¿A qué hora nos encontramos?   Work with a partner. You both have decided where you want to go. Now you need to arrange a time and place to meet.

> **MODELO**   10:00 / delante del cine Odeón
>
> **Estudiante 2:** *¿A qué hora nos encontramos?*
> **Estudiante 1:** *A las diez.*
> **Estudiante 2:** *¿Dónde?*
> **Estudiante 1:** *Delante del cine Odeón.*
> **Estudiante 2:** *De acuerdo, a las diez, delante del cine Odeón.*

1. 11:00 / delante de la catedral
2. 3:00 / delante del Club San Martín
3. 4:00 / en la avenida Los Andes, esquina de la calle Corrientes
4. 9:00 / en el Parque Nacional

Práctica

C. Listen and repeat as your teacher models the following words.

1. año
2. mañana
3. señorita

4. baño
5. señor
6. español

¡A jugar con los sonidos!

Señores y señoras, niños y niñas: ¡una araña de España con pestañas! ¡Qué extraño!

D. **¿Qué hora es?**   Work with a partner. Take turns asking the time.

MODELO   2:30

Estudiante 1: *¿Qué hora es?*
Estudiante 2: *Son las dos y media.*

1. 7:25
2. 11:52
3. 10:15

4. 3:30
5. 8:10
6. 1:45

7. 4:40
8. 12:05
9. 9:16

ESTRUCTURA

Talking about how you feel

1. Use **estar** to tell how you and others feel.

aburrido(a)

cansado(a)

contento(a)

enfermo(a)

enojado(a)

listo(a)

preocupado(a)

triste

2. Remember that adjectives match the gender (masculine or feminine) and number (singular or plural) of the person they describe.

Ella está **cansada.** **Ellas** están **cansadas.**
Él está **cansado.** **Ellos** están **cansados.**

Aquí practicamos

E. **¿Qué hacen?** Complete the following sentences by telling how you or the people mentioned feel in the following situations. Choose from these words.

aburrido   enojado   cansado   listo

contento   preocupado   enfermo   triste

¿Te acuerdas?

Adjectives that end in **e** only have singular and plural form.

singular	plural
triste	tristes

Follow the model.

MODELO   Voy al cine cuando...
Voy al cine cuando estoy aburrido(a).

1. Voy al hospital cuando...
2. Descansamos cuando...
3. Ustedes necesitan correr cuando...
4. Mi hermana va de compras cuando...
5. Escuchamos música cuando...
6. Llamo a mi mejor amigo(a) cuando...
7. Raquel y Pablo no se hablan cuando...
8. Voy al centro cuando...

F. **¿Estás bien?** Look at the pictures and say how these people feel today.

1. Marisol

2. Graciela

3. Santiago

4. Diego y Fernando

5. Julia

6. Benjamín y Laura

G. ¿Cómo están Uds.?   Circulate about the class to ask five classmates how they are feeling today. Then report to the class.

MODELO   **Estudiante 1:** *¿Cómo estás?*
Estudiante 2: *Estoy muy contenta.*
Estudiante 1 (a la clase): *Trisha está muy contenta hoy.*

ESTRUCTURA

Talking about what other people own

—¿Es la bicicleta de Vicente?   *Is this Vicente's bike?*

—Sí, es **su** bicicleta.   *Yes, it's his bike.*

—¿Es la casa de Marta y **su** hermana?   Is this Marta and her sister's house?

—Sí, es **su** casa.   Yes, it's their house.

Possessive Adjectives

	Singular	Plural
él, ella	**su** *his, her*	**sus** *his, her*
ellos, ellas	**su** *their*	**sus** *their*

Remember that all adjectives match the noun they describe (singular/plural). **Su** refers to one thing. **Sus** refers to more than one.

Miguel tiene su lápiz pero no tiene sus libros.   *Miguel has his pencils but he doesn't have his books.*

Aquí practicamos

H. ¿De quién es?   Make certain that the following items belong to the people mentioned. Confirm to whom the following things belong.

MODELOS   *¿Es el cuaderno de Pedro?*
Sí, es su cuaderno.

¿Son los animales de Héctor?
Sí, son sus animales.

1. ¿Son los libros de Ana María?

2. ¿Es la llave de Antonio?

3. ¿Son las amigas de Raquel y Susana?

4. ¿Es el perro de Pilar?

5. ¿Es el gato de Mariano y Adela?

6. ¿Son los hijos de Marcos y Carmen?

7. ¿Es la hermana de Raúl?

8. ¿Es la casa de Benito?

ENCUENTROS CULTURALES

Los muchos colores de fiestas y carnavales

Reading Strategies

- pre-reading activities
- skimming
- scanning
- comprehension checks

Antes de leer

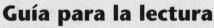

1. Working with two or more classmates, make a list of the holidays and festivals that are celebrated in your city or town or families. Share your list with the class.

Las fiestas de un pueblo revelan mucho sobre su historia.

2. Use the list of holidays compiled by the class and select two or three. What is the origin of each of these? Are these holidays religious?

3. Scan the reading and notice the different festivals mentioned. Are you familiar with any of them?

Guía para la lectura

Here are some words that will help you understand the reading.

eleva	*flies*
cometas	*kites*
colas	*tails*
mensajeras	*messengers*
golosinas	*sweets, candy*
corrida de toros	*bullfight*

Los países hispanos celebran muchísimos carnavales y fiestas.

Públicas o privadas, religiosas o no, las fiestas de un pueblo revelan mucho sobre su historia y temperamento. En España como en los países de Latinoamérica la gente celebra muchísimas fiestas y carnavales. Estas fiestas se deben a la gran imaginación de sus ciudadanos. Las fiestas son simbólicas de la complicada historia de las tradiciones de estos países.

Entre las más hermosas festividades hispanas están las celebraciones del Día de los Muertos. En Guatemala, el pueblo **eleva** gigantescas **cometas** para recordar a sus muertos. Estas **"mensajeras"** suben al cielo llevando en sus **colas** mensajes a los muertos de la familia. En México, es tradicional preparar **golosinas** que se ofrecen al espíritu del muerto durante esta celebración.

Otro festival muy divertido se celebra en Valencia, España. Hace algún tiempo, los habitantes del pueblo de Buñol decidieron abandonar su tradicional **corrida de toros,** por considerarla muy cruel. Buñol comenzó a celebrar su anual Tomatina. En este festival, cantidades de tomates se llevan a la plaza del pueblo. Más de 20.000 (veinte mil) personas participan en la batalla de comida más grande del mundo.

Después de leer

Complete the following sentences using words from the reading.

Públicas o privadas, religiosas o no, las fiestas de un pueblo revelan mucho sobre su _____ (1) y temperamento. En España como en los países de _____ (2) la gente celebra muchísimas fiestas y _____ (3). Estas fiestas son simbólicas de la complicada _____ (4) de sus tradiciones. Entre las más hermosas festividades hispanas están las celebraciones del Día de los Muertos. En México, es tradicional preparar _____ (5) que se ofrecen al espíritu del muerto durante esta celebración.

Festival

¡SIGAMOS ADELANTE!

Conversemos un rato

A. **Un día en la vida de...** You and your partner have decided to switch lives for an afternoon. You will take over your partner's classes, afternoon activities, and you will eat dinner at your partner's home. Your partner will take over your day. Give each other the information needed to complete your routine.

Copy the following form on a separate piece of paper and jot down notes to help you remember the information you have learned. Follow the model to tell your partner about your day.

MODELO *Mis clases son... Mis actividades son...*
Llego a casa... Cenamos a las...

Horario

Clases	Actividades después de las clases	Cómo llegar a tu casa	La hora de cenar

B. El festival You and two of your classmates are in Guatemala for the annual festival. Using the poster below, plan your activities for the day.

1. Decide on at least two different activities to do together.

2. Choose one activity that each of you will do alone.

3. Make plans to meet later in the day. Set a time and a place where you will meet.

Día de la Independencia
Ciudad de Guatemala

10:30	**Misa** en la Catedral
12:00	Feria de la comida
13:30	Bailes folklóricos en la Plaza Mayor
14:45	**Concurso de poesía**
16:30	**Desfile** de las escuelas
19:00	Banquete en el Club Independencia
21:00	**Fuegos artificiales** en el Parque Nacional
22:00	Baile popular (Parque Nacional)

Conexión con la geografía

Los husos horarios

Para empezar   Nuestro planeta tiene veinticuatro husos horarios (*time zones*) porque hay veinticuatro horas en el día. Mientras el planeta da vueltas (*revolves*), las horas del día pasan de un huso horario a otro.

Nueva York

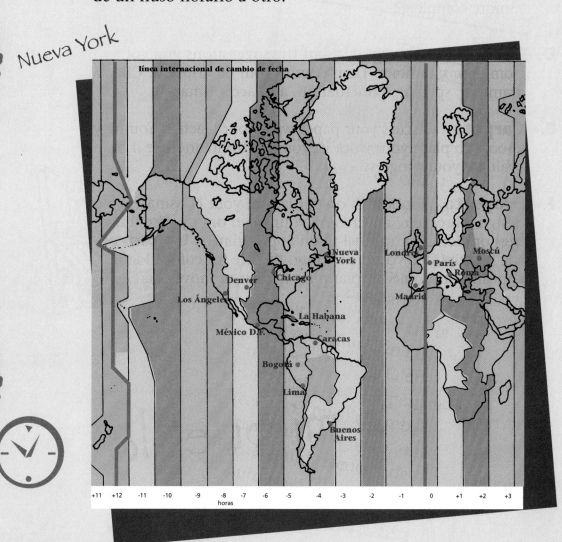

A. Cuando es la una...

1. Cuando es la una en Nueva York, ¿qué hora es en Denver?
2. Cuando es la una en Nueva York, ¿qué hora es en Los Ángeles?
3. Cuando es mediodía en Denver, ¿dónde es la una?
4. Cuando es mediodía en Denver, ¿dónde son las once?

B. Los horarios de las ciudades

1. ¿Qué ciudades latinoamericanas están en el mismo huso horario que Nueva York?
2. ¿Qué ciudades latinoamericanas están en el mismo huso horario que Miami?
3. ¿En qué huso horario está tu ciudad o pueblo?
4. ¿Cuántos husos horarios hay entre Nueva York y Madrid? ¿Entre Nueva York y Los Ángeles? ¿Entre Los Ángeles y Madrid?

C. ¿A qué hora...?

Work with a partner. Take turns asking at what time you do the following daily activities. Make a list of the activities and the time your partner does each activity. Use your knowledge of time zones to imagine what people in other parts of the world do at that hour.

MODELO comer el desayuno

> **Estudiante 1:** *¿A qué hora comes el desayuno?*
> **Estudiante 2:** *Desayuno a las siete de la mañana.*
> **Estudiante 1:** *Cuando tú desayunas, la gente en Francia...*

1. estudiar
2. ir a la escuela
3. llegar a casa de la escuela
4. descansar en la cama
5. mirar la televisión
6. comer en la cafetería
7. pasar el tiempo con amigos

Los Ángeles

Buenos Aires

Madrid

Chicago

Miami

Quito

Vistas
de los países hispanos

Costa Rica is famous for its ecotourism: about 800,000 tourists per year explore its natural beauty. The country has only two seasons. The dry season lasts from December to mid-April, and the rainy season lasts the rest of the year! The country's two coasts are very different: the Caribbean coast has mangroves and sandy beaches, while the Pacific Coast is rocky. Costa Rica also has an active volcano, the **volcán Arenal.**

México

Belize

Guatemala

Honduras

El Salvador

Nicaragua

Costa Rica
★
San José

Panamá

Costa Rica

EXPLORA

Find out more about Costa Rica!
Access the **Nuestros vecinos** page on the
¡Ya verás! *Gold* web site for a list of URLs.

http://www.yaveras.heinle.com/vecinos.htm

En la comunidad

Paul Kearney:
En caso de una emergencia

"After being burned in a fire as a child, you would think the last career I would choose would be that of firefighter. However, later in life I knew that's what I wanted to be because I wanted to help people who were in trouble.

My desire to help people suits my profession: I know a lot about fires, a lot about rescue procedures, and a lot about how to talk to both English- and Spanish-speaking people during emergencies. My Spanish isn't polished, but it's still very useful when I need to know things like: Who's in the building? Are there any pets to rescue? How did the fire start? What else is flammable in the building? And even what's on the other side of a particular window or door, in case there's a danger I'm unaware of."

¡Ahora te toca a ti!

With a partner, find out who the "emergency specialists" in your city or town are.

1. Find the phone number for the fire department, the police department, a local hospital, or other emergency specialists in your community.

2. Give the phone numbers in Spanish.

3. Give simple directions for how a Spanish-speaking person might contact each emergency specialist in the case of an emergency.

Proyectos

La ciudad

Work in small groups. You are going to make a three-dimensional model of an ideal city. What buildings should you include?

Paso 1: Brainstorm a list of buildings for your city. (See page 192 for these words.)

Paso 2: Plan the layout of your city on a piece of paper. Where will each building be located?

Vas a necesitar:

- tijeras
- pegamento
- cinta adhesiva
- cartulina de colores
- cajas vacías (como cajas de zapatos, cereales, joyas, etc.)
- marcadores o lápices de colores
- cartulina blanca

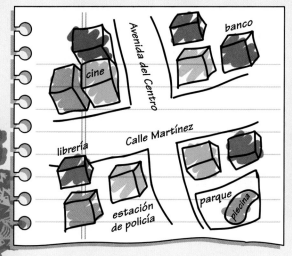

Paso 3: Construct the buildings for your city out of cardboard boxes, cardboard, and construction paper.

Paso 4: Make and attach labels with the Spanish name for each building.

Paso 5: Draw the layout of the city streets on the poster board.

Paso 6: Arrange the buildings on the poster board before you glue or tape them in place.

Paso 7: Complete your model city by gluing or taping everything in place.

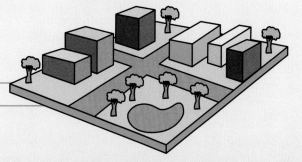

cajas vacías *empty boxes*

Un viaje cibernético

Would you like to travel to a city where Spanish is spoken—without leaving your school? Visit the ***¡Ya verás!*** *Gold* web site at **http://www.yaveras.heinle.com** and look at the links for Chapters 7-9. Your school or local library can also help you find information about a city that interests you. Your teacher can suggest ways to contact travel agents, embassies, and offices of tourism as resources.

Paso 1: Choose a city you would like to "visit."

Paso 2: Find out about the city using the resources suggested above.

Paso 3: Identify three to five places in the city you would like to visit.

Paso 4: Write and present a report about your city and the places you identified. Tell why you'd like to go there.

Un juego
Un lugar muy chistoso

In this matching game you'll be asking and saying where different items are located.

Paso 1: Draw a picture of a bedroom where everything is out of place. For example, the rug is on the bed, the lamp is under the desk, the computer is on a chair, etc.

Paso 2: On a separate paper, write a short paragraph describing your picture in Spanish. You may choose from these expressions: **encima de, debajo de, a la izquierda, a la derecha, al lado de, cerca de, lejos de, delante de, detrás de, entre,** and **frente a.** Now you're ready to play the game!

Paso 3: Get into groups of four.
- Exchange your group's drawings and paragraphs with another group.
- Place all the drawings face up on a desk.
- Choose one group member to read one paragraph. See if the rest of the group can match the paragraph with its drawing.
- Continue playing until you have matched each paragraph with its drawing.

> **Vas a necesitar:**
> - papel para dibujar
> - marcadores o lápices de colores

Telling time

¿Qué hora es? (9)
¿A qué hora? (9)
¿Cuándo? (9)
a las cinco de la mañana (9)
a las nueve de la noche (9)
a la una de la tarde (9)
desde... hasta... (9)
entre... y... (9)
al mediodía (9)
a la medianoche (9)
ahora (9)

Asking for / giving directions

¿Cómo llego a... ? (8)
¿Dónde está... ? (8)
¿Está lejos / cerca de aquí? (8)
Allí está... (3)
Cruce la calle... (8)
Doble a la derecha. (8)
a la izquierda. (8)
Está al final de... (8)
al lado de... (8)
cerca de... (8)
delante de... (8)
detrás de... (8)
entre... y... (8)
en la esquina de... (8)
frente a... (8)
lejos de... (8)
Tome la calle... (8)
Siga derecho por... (8)

Making plans to go out / to go into town

¿Adónde vamos? (7)
¿Adónde van Uds...? (7)
¿Quieres ir al...? (7)
Yo prefiero... (7)

Talking about the future

¿Van a...? (2)
Voy a... (7)

Expressing wishes and desires

¿Deseas...? (2)
¿Necesitas...? (2)
¿Qué quieres hacer? (7)
¿Qué te gusta más? 5)
¿Quisieras...? (2)
Quisiera... (2)

Making purchases

¿Cuántos hay? (4)
¿Dónde hay... ? (4)
Aquí hay otro(a)... (3)

Expressing disbelief

¿Verdad? (2)
¿No? (2)

Making plans to meet

¿Dónde nos encontramos? (9)
¿A qué hora nos encontramos? (9)
De acuerdo. (9)
Lo siento. (7)

Answering the telephone

¡Bueno! (7)
¡Hola! (7)
¡Diga! (7)
¡Dígame! (7)

VERB CHARTS

SIMPLE TENSES

Infinitive	Present Indicative	Preterite	Commands	Infinitive	Present Indicative	Preterite	Commands
hablar to speak	hablo	hablé		**aprender** to learn	aprendo	aprendí	
	hablas	hablaste	habla (no hables)		aprendes	aprendiste	aprende (no aprendas)
	habla	habló	hable		aprende	aprendió	aprenda
	hablamos	hablamos	hablemos		aprendemos	aprendimos	aprendamos
	habláis	hablasteis	hablad		aprendéis	aprendisteis	aprended
	hablan	hablaron	hablen		aprenden	aprendieron	aprendan
vivir to live	vivo	viví					
	vives	viviste	vive (no vivas)				
	vive	vivió	viva				
	vivimos	vivimos	vivamos				
	vivís	vivisteis	vivid				
	viven	vivieron	vivan				

COMPOUND TENSES

Present progressive	estoy estás está	estamos estáis están }	hablando	aprendiendo viviendo

Stem-Changing Verbs

SIMPLE TENSES

Infinitive / Present Participle / Past Participle	Present Indicative	Commands
Pensar *to think* $a \rightarrow ie$ pensando pensado	pienso piensas piensa pensamos pensáis piensan	piensa piense pensemos pensad piensen

Change of Spelling Verbs

SIMPLE TENSES

Infinitive / Present Participle / Past Participle	Present Indicative	Preterite
comenzar ($e \rightarrow ie$) *to begin* $z \rightarrow c$ **before e** comenzando comenzado	comienzo comienzas comienza comenzamos comenzáis comienzan	comencé comenzaste comenzó comenzamos comenzasteis comenzaron
pagar *to pay* $g \rightarrow gu$ **before e** pagando pagado	pago pagas paga pagamos pagáis pagan	pagué pagaste pagó pagamos pagasteis pagaron
tocar *to play* $c \rightarrow que$ **before e** tocando tocado		toqué tocaste tocó tocamos tocasteis tocaron

SIMPLE TENSES

Infinitive / Present Participle / Past Participle	Present Indicative	Preterite	Commands
andar *to walk* andando andado		anduve anduviste anduvo anduvimos anduvisteis anduvieron	
estar *to be* estando estado	estoy estás está estamos estáis están	estuve estuviste estuvo estuvimos estuvisteis estuvieron	está (no estés) esté estemos estad estén
hacer *to make, do* haciendo **hecho**	**hago** haces hace hacemos hacéis hacen	**hice hiciste hizo hicimos hicisteis hicieron**	**haz (no hagas) haga hagamos** haced **hagan**
ir *to go* **yendo** ido	**voy vas va vamos váis van**	**fui fuiste fue fuimos fuisteis fueron**	**ve (no vayas) vaya vayamos id (no vayáis) vayan**
poder *can, to be able* **pudiendo** podido	**puedo puedes puede** podemos podéis **pueden**		
ser *to be* siendo sido	**soy eres es somos sois son**		**sé (no seas) sea seamos** sed **sean**
tener *to have* teniendo tenido	**tengo tienes tiene** tenemos tenéis tienen	**tuve tuviste tuvo tuvimos tuvisteis tuvieron**	**ten (no tengas) tenga** tened (no tengáis) **tengamos tengan**
querer *to like* queriendo querido	**quiero quieres quiere** queremos queréis **quieren**		

GLOSSARY

The numbers in parentheses refer to the chapters in which active words or phrases may be found.

A

a to (1)
a la izquierda on the left (8)
a la una de la tarde at one in the afternoon (9)
a las cinco de la mañana at five in the morning (9)
a las nueve de la noche at nine in the evening (9)
a menudo frequently, often (7)
¿A qué hora? At what time? (9)
a veces sometimes (1)
al final de at the end of (8)
al lado de beside, next to (8)
abrazo *m.* embrace, hug (1)
abogado(a) *m. (f.)* lawyer (3)
abuela *f.* grandmother (6)
abuelo *m.* grandfather (6)
aburrido(a) bored, boring (6)
acabamos de we have just finished (2)
acabar de... to have just . . . (2)
acción *f.* action (9)
aceituna *f.* olive (2)
¡adelante! go ahead!
además besides (4)
adiós goodbye (1)
¿adónde? where? (7)
adverbio *m.* adverb (1)
aeropuerto *m.* airport (7)
agua *f.* water (1)
aguacate *m.* avocado (2)
ahora now (9)
al contraction of **a + el** (7, 8)
alemán (alemana) *m. (f.)* German (3)
Alemania Germany (3)
alfombra *f.* rug, carpet (4)
algo something (1)
alguno(a) some, any
alimento *m.* food (3)
alrededor around
alto(a) tall (6)
alumno(a) *m. (f.)* student (4
allí there (4)
americano(a) *m. (f.)* American (3)
amigo(a) *m. (f.)* friend (1, 2)
animal *m.* animal (5)

angostas narrow (8)
antipático(a) disagreeable (6)
anunciar to announce (9)
anuncio *m.* advertisement
año *m.* year (7)
apartamento *m.* apartment (4)
apellido *m.* last name (6)
a pesar de in spite of
aprender to learn (5)
aquí here (1)
aquí hay here is/are (2)
Aquí hay otra Here is another (3)
Aquí tienen ustedes Here you are (3)
Argentina Argentina (3)
argentino(a) *m. (f.)* Argentine (3)
arroz *m.* rice (3)
arte *m.* or *f.* art (5)
aunque although
autobús *m.* bus (4)
estación de autobuses *m.* bus terminal (7)
ave *f.* bird, fowl
ayudar to help
azúcar *m.* sugar (3)

B

bailar to dance (1)
baile *m.* dance (9)
baile folklórico *m.* folk dance (9)
baile popular *m.* popular dance (9)
bajar to go down, to lower, to get off a train (11)
bajo(a) short (6), prep. under
banco *m.* bank (7, 8)
barco *m.* boat
básquetbol *m.* basketball (5)
bastante enough (1)
Bastante bien. Pretty good. (1)
baúl *m.* trunk (2)
beber to drink (5)
bebida *f.* drink, beverage (1)
bebida caliente *f.* hot beverage (1)
bebida fría *f.* cold beverage (1)
béisbol *m.* baseball (5)

biblioteca *f.* library (7)
bicicleta *f.* bicycle (4)
bien well, fine; very (1)
bienvenido(a) welcome (3)
biología *f.* biology (5)
bocadillo *m.* sandwich (French bread) (1)
bolígrafo *m.* ball-point pen (4)
Bolivia Bolivia (3)
boliviano(a) *m. (f.)* Bolivian (3)
bonito(a) pretty (6)
borrador *m.* eraser (4)
botella *f.* bottle (1)
botella de agua mineral *f.* bottle of mineral water (1)
bueno(a) good (3, 6)
Buenas noches. Good evening. / Good night. (1)
Buenas tardes. Good afternoon. (1)
¡Bueno! Hello? (answering the phone) (7)
Buenos días. Good morning. (1)
buscar to look for (8)

C

caballo *m.* horse
Caballo de acero *m.* Iron horse (name of a cycling club) (4)
cacahuete *m.* peanut (2)
cada each, every (6)
café *m.* café, coffee (1)
café con leche *m.* coffee (with milk) (1)
cafetines *m.* small coffee shops (7)
caja *f.* box (4)
caja de zapatos *f.* shoe box (4)
calamares *m.* squid (2)
calculadora *f.* calculator (4)
caliente hot (1)
calle *f.* street (8)
cama *f.* bed (4)
cámara *f.* camera (4)
camarero(a) *m. (f.)* waiter (waitress) (1)
camarones *m.* shrimp (2)
campeonato *m.* championship (4)
Canadá Canada (3)

288 *Spanish-English Glossary*

canadiense *m.* or *f.* Canadian (3)
cansado(a) tired (9)
cantante *m.* or *f.* singer
cantar to sing (1)
carne *f.* meat (3)
carnicería *f.* butcher shop (7)
carta *f.* letter
cartera *f.* wallet (4)
cartón *m.* cardboard (4)
cartulina blanca *f.* white poster board (4)
cartulina de colores *f.* colored construction paper (4)
casa *f.* house (4)
casado(a) married (6)
catarro *m.* common cold (4)
catedral *f.* cathedral (7)
catorce fourteen (4)
celebrar to celebrate (9)
centro *m.* center, downtown (4)
cerca (de) near, close to (8)
cero zero (4)
cerrar to close
¡Chao! Bye!, See you later! (1)
charlar to chat (1)
chico(a) *m.* (*f.*) boy (girl)
chile *m.* hot pepper (3)
Chile Chile (3)
chileno(a) *m.* (*f.*) Chilean (3)
China China (3)
chino(a) *m.* (*f.*) Chinese (3)
chisme *m.* gossip (2)
chocolate *m.* chocolate (1)
chorizo *m.* sausage (2)
churros *m.* sugared fried dough (3)
ciclismo *m.* cycling (4)
cien one hundred (7)
ciencias *f.* science (5)
cinco five (4)
cincuenta fifty (7)
cine *m.* movie theater (7)
cinta adhesiva *f.* roll of adhesive tape (4)
cinta *f.* tape (cassette) (4)
ciudad *f.* city (6)
Ciudad de México *f.* Mexico City (6)
club *m.* club (7)
coche *m.* car (4)
cola *f.* tail (9)
colegio *m.* school (7)
Colombia Colombia (3)

colombiano(a) *m.* (*f.*) Colombian (3)
comedor *m.* dining room
comentar to comment (3)
comentario *m.* commentary
comenzar begin
comer to eat (1, 5)
cometas *m.* kites (9)
comida *f.* food, meal (1)
comida mexicana Mexican food (3)
comisaría *m.* police station (9)
¿cómo? how?, what? (1, 2, 3, 8)
¿Cómo es? / son? How is it / are they? (6)
¿Cómo está Ud.? How are you? (formal) (2)
¿Cómo estás? How are you? (informal) (1)
¿Cómo llego a...? How do I get to...? (8)
¿Cómo te llamas? What's your name?
¿Cómo te va? How is it going? (1)
cómoda *f.* dresser (4) comfortable
compartir to share (5)
competencia *f.* competition (4)
comprender to understand (5)
computadora *f.* computer (4)
con with (1)
concurso de poesía *m.* poetry contest (9)
¿Con qué frecuencia? How frequently? (7)
construir to build
contador(a) *m.* (*f.*) accountant (3)
contar to tell, to count (4)
contento(a) happy (9)
contestar to answer (1)
continuar to continue (9)
contra against
conversación telefónica *f.* telephone conversation (7)
corazón *m.* heart
correo electrónico *m.* e-mail (4)
correr to run (5)
corrida de toros *f.* bullfight (9)
corto short (in length)
cosa *f.* thing (4)
Costa Rica Costa Rica (3)

costarricense *m.* or *f.* Costa Rican (3)
costumbre *f.* custom
croissant *m.* croissant (1)
cruzar to cross (8)
cuaderno *m.* notebook (4)
cuadrado *m.* square
¿cuándo? when? (9)
¿cuántos(as)? how many? (6)
¿Cuántos años tienes? How old are you? (7)
¿Cuántos hay? How many are there? (4)
cuarenta forty (7)
cuarto *m.* room (4)
cuatro four (4)
Cuba Cuba (3)
cubano(a) *m.* (*f.*) Cuban (3)
cucharadas *f.* tablespoons (3)
cuerpo *m.* body
cuñado(a) *m.* (*f.*) brother (sister) in-law (4)

D

dar to give (8)
dar direcciones give directions (8)
de of (3)
de acuerdo OK (we are in agreement) (9)
¿De dónde es (eres)? Where are you from? (3)
De nada You're welcome. (1)
de piedra stone cobbled (8)
¿De quién es... ? Whose is it? (4)
¿De quién son...? Whose are they? (4)
de vez en cuando from time to time (7)
dejar to leave, to relinquish
del contraction of **de + el** (8)
delante de in front of (8)
delgado(a) thin (6)
delicioso(a) delicious (3)
demás rest, remaining
dentista *m.* or *f.* dentist (3)
dentro inside
deportes *m.* sports (5)
deportista *m.* (*f.*) sportsman, sportswoman
derecha *f.* right (8)
derecho(a) straight (8)

scraps of fabric **pedacitos de tela**
    m. (4)
sculpture **escultura** *f.* (5)
season (sports) **temporada** *f.*
secretary **secretario(a)** *m. (f.)*
    (3)
(to) see **ver** (9)
See you. **Nos vemos.** (1)
See you later. **Hasta luego.** (1)
(to) sell **vender** (5)
sense **sentido** *m.*
serious **serio(a)** (6)
seven **siete** (4)
seventeen **diecisiete** (4)
seventy **setenta** (7)
(to) share **compartir** (5)
she **ella** (2)
short **bajo(a),** (in length)
    corto(a) (6)
shrimp **camarones** *m.*
    gambas *f.* (2)
sick **enfermo(a)** (9)
sight **vista** *f.*
(to) sign **firmar**
silly **tonto(a)** (6)
silver **plata** *f.*
(to) sing **cantar** (1)
singer **cantante** *m.* or *f.*
sister **hermana** *f.* (6)
six **seis** (4)
sixteen **dieciséis** (4)
sixty **sesenta** (7)
size **tamaño** *m.* (3)
skimmed **descremada** (3)
slice of bread **rebanada de
    pan** *f.* (1)
slow **despacio** (8)
small **pequeño(a)** (6)
snack **merienda** *f.* (1)
snack, Spanish **tapa española**
    f. (2)
so **tan** (8)
so-so **más o menos** (1)
soccer **fútbol** *m.* (5)
society **sociedad** *f.* (4)
soda **soda** *f.* (1)
soft drink **refresco** *m.* (1)
some **alguno(a)**
something **algo** (1)
sometimes **a veces** (1)
son **hijo** *m.* (6)
song **canción** *f.*
soon **pronto**

I'm sorry. **Lo siento.** (7)
south **sur** *m.*
southwest **suroeste** *m.*
space **espacio** *m.*
Spain **España** (3)
Spaniard **español(a)** *m. (f.)* (3)
Spanish **español(a)** (1)
species **especie** *f.*
(to) spend **gastar**
spice **especia** *f.*
spicy **picante** (3)
spirit **espíritu** *m.*
sport **deporte** *m.* (5)
sportsman (sportswoman)
    deportista *m.* or *f.*
square **plaza** *f.* (7), (geometry)
    cuadrado *m.*
squid **calamares** *m.* (2)
stadium **estadio** *m.* (7)
stage (phase) **etapa**
star **estrella** *f.*
station **estación** *f.* (7)
(to) stay **quedar** (8)
stepbrother **hermanastro** *m.*
    (6)
stepfather **padrastro** *m.* (6)
stepmother **madrastra** *f.* (6)
stepsister **hermanastra** *f.* (6)
stereo **estéreo** *m.* (4)
still **todavía**
stone **piedra** *f.*
stone cobbled **de piedra** (8)
store **tienda** *f.* (7)
story **cuento** *m.,* **historia** *f.*
straw (for drinking) **pajita** *f.*
    sorbete *m.* (2)
strawberry **fresa** *f.* (1)
street **calle** *f.* (8)
strength **fuerza** *f.*
student **alumno(a)** *m. (f.)*
    (4), **estudiante** *m.* or *f.* (3)
(to) study **estudiar** (1)
stupid **tonto(a)** (6)
success **éxito** *m.*
suitcase **maleta** *f.* (2)
sun **sol** *m.*
Sweet "15" party (coming of age
    party) **quinceañera** (5)
sweet roll, any kind **pan
    dulce** *m.* (1)
sweets **golosinas** *f.* (9)
swimming pool **piscina** *f.*
    (7, 9)

T

tablespoons **cucharadas** *f.* (3)
tail **cola** *f.*
(to) take **tomar** (1), **llevar** (4)
(to) talk **hablar** (1)
tall **alto(a)** (6)
tape (cassette) **cinta** *f.* (4)
tape recorder **grabadora** *f.* (4)
taste **gusto** *m.* (5)
tea **té** *m.* (1)
teacher **profesor(a)** *m. (f.)* (3)
telephone **teléfono** *m.* (7)
telephone conversation
    conversación telefónica
    f. (7)
television set, (color) **televisor (a
    colores)** *m.* (4)
(to) tell (a story) **contar**
ten **diez** (4)
tennis **tenis** *m.* (5)
thank you **gracias** (1)
Thank you very much. **Muchas
    gracias.** (1)
Thanksgiving Day mass **la misa de
    Acción de Gracias** *f.* (9)
that **que** (1)
the **el** *m.,* **la** *f.,* (plural) **los** *m.,*
    las *f.* (2)
theater **teatro** *m.* (7)
movie theater **cine** *m.* (7)
their **su(s)** (4)
then **entonces** (9), **pues** (1)
there **allí** (4)
there is / are **hay** (4)
these **éstos(as)** (4)
they **ellos(as)** *m. (f.)* (2)
thin **delgado(a)** (6)
thing **cosa** *f.* (4)
(to be) thirsty **tener sed** (7)
thirteen **trece** (4)
thirty **treinta** (4)
thirty-one **treinta y uno** (7)
thirty-two **treinte y dos** (7)
three **tres** (4)
time **vez** *f.* (9)
tired **cansado(a)** (9)
to **a** (1)
toast **pan tostado** *m.* (1)
today **hoy** (10)
tongue **lengua** *f.* (5)
tonight **esta noche** (7)
(to) touch **tocar** (2)

town **pueblo** m.
toy **juguete** m.
track (railway) **vía** f.
train **tren** m. (7) **entrenar** (4)
train station **estación de trenes** (7)
transportation **transporte** m. (4)
(to) travel **viajar** (1)
true **verdadero(a)**
trunk **baúl** m. (2)
(to) try (endeavor) **tratar de**
(to) turn **doblar** (8)
twelve **doce** (4)
twenty **veinte** (4)
twenty-eight **veintiocho** (7)
twenty-four **veinticuatro** (7)
twenty-five **veinticinco** (7)
twenty-nine **veintinueve** (7)
twenty-one **veintiuno** (7)
twenty-seven **veintisiete** (7)
twenty-six **veintiséis** (7)
twenty-three **veintitrés** (7)
twenty-two **veintidós** (7)
typewriter **máquina de escribir** f. (4)

U

ugly **feo(a)** (6)
uncle **tío** m. (6)
(to) understand **comprender** (5)
United States **Estados Unidos** (3)
university **universidad** f. (7)
until **hasta** (9)
Uruguay **Uruguay** (3)
Uruguayan **uruguayo(a)** m. (f.) (3)
useful **útil**

V

value **valor** m.
Venezuela **Venezuela** (3)
Venezuelan **venezolano(a)** m. (f.) (3)
verb **verbo** (1)
very **muy, bien** (1)

very little **muy poco** (1)
very much **muchísimo** (1)
Very well, thank you. **Muy bien, gracias.** (1)
video **vídeo** m. (4)
video cassetteplayer **videocasetera** f. (4)
voice **voz** f.
volleyball **vólibol** m. (5)

W

waiter (waitress) **camarero(a)** m. (f.) (1)
wallet **cartera** f. (4)
(to) want **desear** (1), **querer** (7)
I would like . . . **Yo quisiera...** (1)
(to) watch **mirar** (2)
water **agua** f. (1)
way **manera** f. (3)
we **nosotros(as)** m. (f.) (1)
we have just **acabamos de** (2)
welcome **bienvenido(a)** (3)
well **bien** (1)
what? **¿qué?, ¿cómo?** (1)
What delicious food! **¡Qué comida más rica!** (3)
What's going on? **¿Qué pasó?** (1)
What's new? **¿Qué hay (de nuevo)?** (1)
What time is it? **¿Qué hora es?** (9)
What's your name? **¿Cómo te llamas?** (4)
What would you like to drink? **¿Qué desean tomar?** (1)
What would you like to order? **¿Qué van a pedir?** (3)
when? **¿cuándo?** (9)
where? **¿adónde?** (7), **¿dónde?** (6)
Where are you from? **¿De dónde es (eres)?** (3)
Where is / are there . . . ? **¿Dónde hay... ?** (4)
Where is . . . ? **¿Dónde está... ?** (8)

white poster board **cartulina blanca** f. (4)
who? **¿quién?** (3)
Whose is it? **¿De quién es... ?** (4)
Whose are they? **De quién son...?** (4)
why? **¿por qué?** (6)
widow **viuda** f. (4)
widower **viudo** m. (4)
wife **esposa** f. (6)
winter **invierno** m.
(to) wish for **desear** (1)
with **con** (1)
with pleasure **con mucho gusto** (1)
without **sin** (11)
woman **mujer** f. (3)
word **palabra** f. (1)
(to) work **trabajar** (1)
work **trabajo** m.
worker **trabajador(a)** m. (f.)
world **mundo** m.
(to) worry **preocuparse**
Would you like to...? **¿Quisieras...?** (2)
(to) write **escribir** (5)
written **escrito**

Y

(to be) . . . years old **tener... años** (7)
yes **sí** (1)
you (familiar) **tú,** (familiar plural) **vosotros (as)** m. (f.), (formal) **usted (Ud.),** (formal plural) **ustedes (Uds.)** (1)
you're welcome **de nada** (1)
your **tu, su, vuestro(a), vuestros(as)** (4)
youth **juventud** f.

Z

zero **cero** (4)

INDEX

PHOTO CREDITS

Unless specified below, all photos in this text were selected from the *Heinle & Heinle Image Resource Bank*. The *Image Resource Bank* is Heinle & Heinle's proprietary collection of tens of thousands of photographs related to the study of foreign language and culture.

Photographers who have contributed to the resource bank include:
    Angela Coppola
    Carolyn Ross
    Jonathan Stark
    Kathy Tarantola

p. 89 Jeff Greenberg/Photo Researchers, Inc., p. 182 Art Wolfe/Tony Stone Images, p. 183 Dave G. Houser/Corbis, pp. 242, 243 James Davis; Eye Ubiquitous/Corbis, p. 268 Photo courtesy of Argentina Government Tourist Office